D0505827

115075

LLYFRGELL
COLEG MEIRION DWYFOR
LIBRARY

Yr Arwisg

LIBRARY
COLEG PRIFYSGOL CYMRU
LIBRARY

Fy Hanes i

YR ARWISGO

Dyddiadur Sara Harris
(merch i blismon ym 1969)

Sonia Edwards

Gomer

I Gerallt

Er bod y digwyddiadau a rhai o'r cymeriadau yn y llyfr hwn yn seiliedig ar ddigwyddiadau hanesyddol a phobl go iawn, cymeriadau ffuglennol a grëwyd gan yr awdur yw Sara Harris a Gwilym Wynne, eu teuluoedd a'u cydnabod; ffuglennol hefyd yw cymeriad Bleddyn.

Argraffiad cyntaf – 2007

ISBN 978 1 84323 542 2

ⓗ Sonia Edwards, 2007 ©

Mae Sonia Edwards wedi datgan ei hawl dan Ddeddf Hawlfraint, Dyluniadau a Phatentau 1988 i gael ei chydnabod fel awdur y llyfr hwn.

Cedwir pob hawl. Ni chaniateir atgynhyrchu unrhyw ran o'r cyhoeddiad hwn na'i gadw mewn cyfundrefn adferadwy na'i drosglwyddo mewn unrhyw ddull na thrwy unrhyw gyfrwng, electronig, electrostatig, tâp magnetig, mecanyddol, ffotogopïo, recordio, nac fel arall, heb ganiatâd ymlaen llaw gan y cyhoeddwyr, Gwasg Gomer, Llandysul, Ceredigion.

Dymuna'r cyhoeddwyr gydnabod cymorth Cyngor Llyfrau Cymru.

Argraffwyd gan Wasg Gomer, Llandysul, Ceredigion SA44 4JL

Dydd Calan, 1969

Diwrnod cynta'r flwyddyn ac mae'r dathlu i gyd drosodd. Y Dolig ar fin cael ei gliro o'r golwg a'i stwffio yn ei ôl i focsys. Mae'r ffaith fy mod i'n cael fy mhen-blwydd ar ddydd Calan yn fy ngwneud i'n wahanol i bawb arall. Presantau pen-blwydd wedi eu lapio mewn papur Siôn Corn! Lluniau o gelyn a cheirw ar bob dim. Felly mae hi wedi bod erioed. Neb yn mynd i'r drafferth o chwilio am bapur pen-blwydd go iawn. Rhy agos at Dolig, yn tydi? Dwi'n teimlo fy mod i'n cael fy nhwyllo, rhywsut.

Pen-blwydd a Dolig wedi eu lluchio at ei gilydd, ac mae hynny'n golygu na fydda i byth yn cael cymaint o anrhegion ag Eryl. Mi gafodd hwnnw ei eni yng nghanol yr ha', yn do? Parti mawr. Llwyth o anrhegion. Tywydd braf a chwarae allan a ballu. Ond fi? Wel, mae pob parti pen-blwydd ges i erioed wedi cael ei gyfuno â chinio dydd Calan diflas. Tatws a grefi a mwy o blydi sbrowts yn lle'r jeli a'r teisennau bach arferol. Anti Lisi'n cymryd oriau i gnoi un darn o gig a Taid Arwelfa'n ista ym mhen y bwrdd yn chwarae hefo'i ddannedd gosod. O, a phawb mewn hetia papur gwirion am fod Mam isio defnyddio gweddill y cracyrs!

Mi fyddai hi'n neis cael rhywbeth arbennig i mi, a dim ond i mi. Rhyw ddathliad sbesial. Pan fydda i'n sôn am y peth, does neb yn dallt. Dweud fy mod i'n anniolchgar. Meddylia amdanyn nhw yn Fietnam, medda Mam. Mi ydw i'n meddwl amdanyn nhw, medda finna. Ond ydw i? Nac 'dw. Mae 'na ryfel yn Fietnam ers pedair blynedd. Lluniau du a gwyn o ben draw'r byd ydi fanno i mi. Mae o bron yn rhy bell i 'nghyffwrdd i, ond mae gen i gywilydd dweud hynny felly dwi'n ei sgwennu o i lawr yma. Ei guddio fel pob cyfrinach arall rhwng cloriau'r dyddiadur 'ma. Ond dwi'n dal i fethu dallt yn iawn be sy â wnelo Fietnam â'r ffaith na chawn ni ddim jeli ar fy mhen-blwydd i!

Mae'r syniad o gadw dyddiadur yn eitha cyffrous. Rhamantus, hyd yn oed. Erbyn hyn. Dwi wedi trio cadw dyddiaduron o'r blaen. Ond mi fydd hwn yn wahanol. Dwi o ddifri'r tro yma. Ac mae gen i bethau i'w dweud rŵan, does? Pethau i'w cofnodi. Cyfrinachau. Pethau i'w rhoi ar ddu a gwyn. Mae 'na reswm arall hefyd. Dwi wedi dechrau mwynhau sgwennu. Cerddi. Straeon. Dwi'n cael blas arni. Hwyl arni, hyd yn oed. Mae'r sylwadau dwi'n eu cael ar fy ngwaith yn y gwersi Cymraeg yn tystio i hynny! Ac un ffordd dda o ymarfer eich sgiliau sgwennu ydi cadw dyddiadur. Mae o'n gorfodi rhywun i sgwennu bob dydd, tydi? Wel, dyna ddywedodd o, beth bynnag. Dwi ddim yn meddwl y dylwn i roi 'O' fawr rhag i mi bechu neu ryfygu neu beth bynnag ydi o, o achos mai *Fo* hefo llythyren fawr ydi Duw, te? Ond *mae* o'n dduw i mi hefyd. Mae gen i ofn sgwennu'i enw fo rhag i'r un enaid byw ddod i wybod am bwy dwi'n breuddwydio bob nos! Be taswn i'n marw? Neu waeth! Cael fy rhuthro i'r ysbyty hefo poenau pendics a rhywun arall (h.y. Eryl fy mrawd) yn darllen hwn ac yn gweld ei enw fo. Dyna uffernol fasai hynny! (Felly, Eryl hyll, fusneslyd, os mai dyna *sydd* wedi digwydd a chditha'n fan'ma'n darllen, waeth i ti heb, yli, o achos nad ydw i ddim mor wirion â hynny. Rho hwn yn ei ôl yn y drôr a dos o 'ma cyn i ti fynd yn ddall!)

Wel, dyma fi, ta. Dyddiadur newydd. Blwyddyn newydd. Fi newydd. Llechen lân. Biti na fasai hi'n ddydd Llun hefyd. Mi fasai hynny'n fwy trefnus fyth. Dydd Mercher oedd hi heddiw. Diwrnod rhyfedd i ddechrau blwyddyn. Mae hi wedi bod yn bwrw eira. Hen slwtsh budur ydi o erbyn rŵan, ac mae hi'n oer. Ond dim ots. Dwi'n hoff o'r gaeaf. Yn wahanol i Dafydd ap Gwilym. Mis Ionawr ydi'r 'mis dig, du a gerydd i bawb garu' medda fo. Dwi ddim cweit yn cytuno hefo chdi'n fanna, chwaith, yr hen Ddafydd ap. Dydi'r tywydd 'ma ddim yn fy rhwystro *fi* rhag gwirioni amdano *fo*, nac 'di? Mi wela i o ddydd Llun achos byddan ni'n ôl yn yr ysgol. Mae'r amser wedi hedfan ers i ni ddechrau yn y Chweched ym mis Medi. Mae o'n grêt. Mwy o ryddid. Athrawon yn eich trin chi'n wahanol . . . !!! A phan a' i'n ôl yr wythnos nesa, mi fydda i'n ddwy ar bymtheg, ac mi fydda i'n gwisgo'r bŵts gwynion brynais i hefo pres Dolig/pen-blwydd Taid Arwelfa, rheolau ysgol neu beidio. Maen nhw'n gwneud i 'nghoesa fi edrych yn feinach, yn enwedig a finna wedi codi'r hem ar fy sgert nefi blw – heb i Mam sylwi. Mae hi'n meddwl fy mod i'n dal i dyfu trwy 'nillad!

Mi oedd Dad yn ei deud hi heno 'ma. Traethu fel arfer. Rêl blydi plisman!

'Y petha Welsh Nash 'ma wedi bod wrthi eto!' medda fo wrth Mam er mwyn i mi glywed. Dim ond hanner-gwrando fydd honno arno fo, a dal i gytuno hefo pob dim mae o'n ei ddweud.

'Be rŵan, 'lly?' medda hitha, yn fwy wrth y lobscows nag wrtho fo. A wedyn: 'Meddwl basa lobscows yn newid bach. Pawb 'di laru ar fyta deryn.'

Felly maen nhw o hyd. Maen nhw'n anhygoel! Dad yn deud un peth, a Mam yn ateb hefo sgwrs hollol wahanol. Mae hi'n syndod eu bod nhw'n llwyddo i gyfathrebu o gwbwl.

'Blydi peintio arwyddion!' medda fo.

'Pwy?' medda Mam.

'Tyrcwn hefo brwshys paent!' medda Eryl.

'Gei di chwelpan yn y munud!' medda Dad.

'Gad lonydd iddo fo, neno'r Tad!' medda Mam wedyn. Hi ydi'r unig un yn y byd sydd ddim yn gallu gweld faint o boen yn nhin pawb ydi Eryl.

'Y tacla Cymdeithas yr Iaith 'ma.' Ailafaelodd Dad yn ei stori. 'Maen nhw isio rwbath i'w wneud, ar f'enaid i, yn mynd allan yn yr eira i wneud difrod. Tua ochrau Betws-y-coed oeddan nhw. Lwcus bod fanno'n ddigon pell oddi wrtha i, myn uffar i! Blydi stiwdants a hipis! Torri'u gwalltia nhw a'u hel nhw i'r armi sy isio!'

Mi lwyddais i ddal fy nhafod y tro yma. Yn ymyl yr Wybrnant, cartref yr Esgob William Morgan, y cynhaliwyd y rali. Mi faswn i wedi hoffi bod yno. Wnes i ddim dweud hynny, wrth gwrs, rhag iddo fo gael ffit biws. Mae o'n Gymro glân, gloyw ond dydi o'n dallt dim. Torri'r gyfraith mae'r Gymdeithas yn ei olwg o. Ei waith o ydi dal troseddwyr. A dyna hi. Mae hi mor syml â hynny. Iddo fo. Du a gwyn. Ond nid felly mae hi, naci? Dwi'n gwylltio wrth ei glywed o'n siarad fel hyn. Ond cheith o mo 'nghorddi i. Ddim heno. Ddim ar noson fy mhenblwydd. Felly dwi'n dianc o'u sŵn nhw. Mam a Dad ac Eryl a'r radio a'r lobscows yn ffrwtian 'fath â Phair y Dadeni. Dwi'n dianc i fy stafell i gael llonydd ac i ddechrau sgwennu hwn. A meddwl. Amdano *fo*. Am ddydd Llun. Am y ffaith y bydda i'n ddwy ar bymtheg ddeniadol pan wela i o'r tro nesa.

A dwi'n meddwl am baent gwyrdd, arwyddion ffyrdd. Yr eira ym Mhenmachno.

Fuo *fo* draw tua'r Wybrnant, tybed?

Dydd Iau, Ionawr 2

Treulio'r rhan fwyaf o'r pnawn yn chwarae recordiau Dafydd Iwan. Chwarae 'Wrth Feddwl am fy Nghymru' eto ac eto. Llais da ganddo fo. Ac yn beth del. Ro'n i'n arfer ei wylio fo'n canu ar ddiwedd rhaglen *Y Dydd*. Ista ar ben stôl hefo gitâr. Gwallt tywyll tonnog a siwmper polo-nec. Taid Arwelfa'n methu'n glir â dallt pam fod gen i gymaint o ddiddordeb yn y newyddion mwya sydyn. Dydi o byth yn colli'i raglenni Cymraeg. Chwara teg iddo fo. Tasa fo'n fengach, dwi'n siŵr y basa fynta allan yn peintio arwyddion! Mae o'n dipyn o Genedlaetholwr yn y bôn ac mi fasa wedi gwrthod talu'i drwydded teledu hefyd heblaw bod arno fo ormod o ofn Nain. *Coronation Street* ydi petha honno. Ac mi fasa colli hwnnw yn bechod o'r mwya. Dim trwydded. Dim *Coronation Street*. Taid druan. Nain sy'n gwisgo'r trowsus. Wastad wedi gwneud. Rêl teyrn. Bechod na fasa 'na fwy o dân yn ei bol hi dros Gymru. O achos tasa Nain Arwelfa'n cymryd yn ei phen i fod yn Genedlaetholwraig, fasa'r Prif Gwnstabl ddim yn cysgu'r nos!

Mae'r casgliad recordiau'n tyfu. Dwi'n rhoi rhyw dro (!) ar Amen Corner. Cymry 'di'r rheiny hefyd. Wel, rhyw lun. Dwi'n cau fy llygaid, gadael i'w wyneb o, wrthrych fy serch, lifo i fy meddwl. *If Paradise Is Half As Nice* meddai Andy Fairweather-Low. Cyfuniad llesmeiriol. Wyneb un a llais y llall. Gorffen hefo Lulu. *You Make Me Want To Shout!* Mae'r gân honno fel tasa hi wedi'i sgwennu'n arbennig i Dad. Dwi'n ffansïo llifo 'ngwallt yn goch fel un Lulu hefyd. Mi fasa hynny'n siŵr Dduw o wneud iddo fo ddechrau gweiddi!

Mae gen i draethawd Cymraeg ar Ganu Dafydd ap Gwilym i'w orffen erbyn dydd Llun. Gwell tynnu'r gwinadd o'r blew, mae'n siŵr, fel basa Taid yn ei ddeud. Mae Canu Dafydd Iwan dipyn difyrrach heddiw. Pam na chawn ni astudio'i ganeuon o? Mae yntau'n fardd hefyd!

Dydd Gwener, Ionawr 3

Bethan yn dod hefo fi i Siop Cemist i chwilio am stwff gwallt. Y syniad o fod yn goch 'fath â Lulu wedi cydio. Ddim wedi magu plwc i'w wneud o chwaith. Mi benderfynon ni bicio i weld Gwil Gweinidog o achos ei fod o'n dal adra. Ysgolion yn agor o flaen y colegau fel arfer. Mi oedd hi'n oer yn cerdded i fyny i Fronallt a'r ddwy ohonon ni'n cydio ym mreichiau'n gilydd i gadw'n gynnes. Welson ni mo fan Wil Plymar yn arafu wrth ein hymyl ni.

'Golwg jest â chorffi arnoch chi, genod. Fawr o syndod chwaith, cofiwch, a chitha mewn sgertia 'dat eich tina!'

'Sglyfath!' medda Bethan. 'Paid â chymryd sylw ohono fo!'

'Dach chi isio lifft i rwla, genod bach?' medda fo wedyn. 'Ma' 'na ddigon o le i ni i gyd yn y ffrynt 'ma os closiwn ni at ein gilydd!'

'Mond i fama dan ni'n mynd!' medda finna, yn gweld tŷ Gwil yn dod i'r golwg rownd y tro. 'Diolch 'run fath!'

Roedd Bethan wedi dechrau piffian chwerthin a gwasgu 'mraich i.

'Gwatsiwch chi'ch hunan hefo mab y parchedig! Rheiny 'di'r gwaetha!' medda Wil Plymar yn trio bod yn goeglyd ond yn swnio fel hen ddyn budur ac yn dangos rhes o ddannedd cam.

'Tyrd!' medda Bethan a'i hanadl yn boeth yn fy nghlust i. Mi oeddwn i'n boenus o ymwybodol o fy nghluniau oer.

Daeth pen cyrliog Gwil i'r golwg cyn i ni ganu'r gloch. Dechreuodd Ned gyfarth fel tasa fo'n trio cystadlu hefo cŵn Annwn i gyd.

'Gwatsia rhag ofn iddo fo neidio arnan ni a rhwygo'n teits ni!' medda Bethan.

'Pwy, Gwil?'

'Naci, Ned, yr hulpan! Ma'r rhain yn *ten denier*, felly ma' well iddo fo beidio!'

Mae Ned yn gi nobl ac mae gynno fo goesa 'fath â bwrdd. Mi ddaeth ei ben mawr o i'r golwg yng ngwydr y drws ffrynt, yn dynn ar sodlau Gwil. Mi gawson ni groeso fel arfer. Mam Gwil yn dod â phanad a theisen i ni. Eisteddodd Ned a sbio'n ddifrifol arnan ni'n cael te. Glafoeriai wrth weld y deisen.

'Ma' golwg uffernol o drist ar y ci 'ma bob tro dwi'n ei weld o,' medda Bethan a dyma Gwil yn gwenu'n bryfoclyd a dweud:

'Arnach chdi ma'r bai yn gwrthod gadael iddo fo chwarae hefo dy goesa di!'

'Mae o'r un ffunud â Cynan,' medda finna. 'Y gwynab mawr trwm 'na!'

'Be, ydi hwnnw'n glafoerio hefyd?' medda Gwil a sbio i fy llygaid i. Dwi'n siŵr ei fod o'n fy ffansïo i rhyw fymryn. Mi ddechreuon ni'n dau chwerthin. Edrychodd Bethan arnan ni'n hurt.

'Cynan pwy?'

'Cynan y bardd, te?' medda fi. 'Cyn-archdderwydd Cymru!' Fy nhro i oedd hi wedyn i'w galw hitha'n hulpan.

'Hy! Dim ond am dy fod ti'n gneud Cymraeg yn y Chweched rŵan hefo . . .'

'Sôn am y Gymraeg,' medda Gwil ar ei thraws hi. 'Wnewch chi byth ddyfalu lle fues i echdoe!'

'Na! Gwil, pam na fasat ti 'di deud . . !' A Dafydd

Iwan ei hun yno. Yn y cnawd! Mi faswn i wedi rhoi unrhyw beth . . .

'Wel, fasat ti ddim 'di cael dod, na fasat? Mi fasa dy dad wedi cael hartan!'

'Lle?' medda Bethan. 'Lle fuodd o? Gwil, lle fuest ti?'

Edrychodd Gwil a finna ar ein gilydd. Roedd golwg mwy deallus hyd yn oed ar Ned y funud honno. Tasa fo'n gallu siarad mi fasa wedi dweud wrthi.

'Rali Cymdeithas yr Iaith,' medda Gwil a'i lygaid yn pefrio.

'Be, peintio seins?'

'Mae'r misoedd nesa 'ma'n mynd i fod yn gyffrous, genod,' medda fo, ond arna i oedd o'n edrych. 'Dan ni ar drothwy rhywbeth mawr. Cyfnod o chwyldro.'

Ac er bod yna danllwyth o dân yn y parlwr a bod fy nghoesau i wedi hen gynhesu erbyn hynny, aeth ias drwydda i.

Dydd Sadwrn, Ionawr 4

Dim mynadd i sgwennu. Wedi gwneud llanast ar fy ngwallt hefo'r stwff coch. Golchi 'mhen deirgwaith a llond y sinc o olion browngoch. Mam o'i cho ac Eryl yn cael modd i fyw. Y bwbach hyll! Dwi wedi cloi fy hun yn fy stafell i wrando ar record Y Blew. Addas iawn . . !

Dim dewis ond mynd i'r ysgol a 'ngwallt yn gymysgliw o frown a sinsir a rhywbeth tebyg i biws. Miss Lewis yn sefyll yng nghefn y neuadd ar ddiwedd y gwasanaeth yn chwilio am unrhyw un oedd yn meiddio gwisgo unrhyw beth heblaw nefi blw. Mi sbiodd ar fy mŵts gwynion i fel taswn i'n sefyll o'i blaen hi'n noethlymun. 'Del iawn, ond dydyn nhw ddim yn rhan o'r iwnifform, nac ydyn?' Ddywedodd hi ddim bod fy sgert ysgol i'n rhy fyr, na bod fy ngwallt i'n edrych yn od. *Fo* sylwodd ar hwnnw. Yn y wers Gymraeg. Mi oeddwn i isio marw.

'Dach chi 'di gneud rwbath gwahanol i'ch gwallt, dwch?' Rhian Fawr a Linda'n piffian chwerthin. Maen nhw'n gwybod fy mod i wedi mopio amdano fo. Mi ddechreuodd o holi sut wyliau gafon ni. Polo-nec ola amdano fo. Gwallt 'run fath â Paul McCartney. Mi fentrais i fwrw i'r dwfn:

'Fuoch chi yn y Wybrnant ddydd Calan, Syr?'

Ond ddaru o ddim edrych arna i. Ddim cymryd arno. Mi ofynnodd Mei rywbeth call ynglŷn â'r llyfrau gosod ac mi chwalwyd y foment. Mi oeddwn i'n difaru gofyn, yn teimlo embaras, fel pe bawn i wedi tresmasu ar dir diarth ond tir heb arwydd 'cadwch o 'ma' arno fo chwaith. Teimlwn yn chwithig. Roeddwn i wedi gwneud rhywbeth o'i le, ond wyddwn i ddim yn iawn beth. Doedd 'na neb arall wedi sylwi, ond mi fues i'n poeni am y peth drwy'r wers. Methu canolbwyntio. Ond doedd fawr o ots oherwydd nad oedd yntau'n rhoi dim sylw i minnau chwaith, nac yn gofyn cwestiynau i mi ac yn gwenu fel y bydd o'n arfer ei wneud.

Dydd Sadwrn, Ionawr 11

Dwi'n gwybod fy mod i'n llawn bwriadau da pan ges i'r dyddiadur 'ma. Doeddwn i ddim yn mynd i fethu diwrnod, nag oeddwn? Sori, Ddyddiadur! Yr wythnos gyntaf yn ôl yn yr ysgol yn fy llethu i. Dim amser i ddim byd.

Gwil yn mynd yn ei ôl i'r coleg heddiw. Bethan a fi'n picio i Fronallt i ddweud ta-ta. Yr Austin Cambridge mawr llwyd yn llawn trugareddau – bocsys llyfrau, gitâr. A Ned y ci'n ista'n y sedd ôl yn glafoerio dros y cwbwl. Gwil yn rhoi sws i ni'n dwy ond yn sbio'n hirach i mewn i fy llygaid i. Mae Bethan wedi dweud o'r blaen ei fod o'n fy ffansïo i, ond doedd gen i ddim diddordeb.

'Mae'n well gen i ddynion hŷn,' medda fi. 'Rhai aeddfed . . .'

'Paid â mwydro,' medda Bethan. 'Dim ond dweud

hynna wyt ti am fod gen ti grysh ar dy athro Cymraeg!
Tasa ti'n nabod hwnnw'n iawn, mi fasat ti'n gweld ma'
rêl snichyn ydi o!'

Finna'n cymryd ata', wrth gwrs, pan ddywedodd hi
hynny. Doedd fiw i neb ddweud dim byd am *hwnnw* yn
fy nghlyw i, nag oedd? Nes i Bethan ychwanegu:

'Ti'n gwbod ei fod o'n canlyn merch y Prifathro, yn
dwyt?'

Nag oeddwn, doeddwn i ddim yn gwybod hynny!!!!!!!

'Be? Yr hen Ruth wirion 'na?' Hefo'i ddannedd ceffyl
a'r chwerthiniad i fynd hefo nhw. Mi oedd hi yn y
Chweched pan oedd ein criw ni'n dod i fyny o'r ysgol
gynradd. Hen beth dal, esgyrnog, swnllyd, sbïwch-arna-i.
Ych. Honno?

'Ti'n tynnu 'nghoes i, Bethan!'

'Nac'dw Tad! Gofyn i Mam. Mi oedd hi ac Yncl Owie
wedi'u gweld nhw yn Neuadd Wen y noson o'r blaen.'

'Neuadd Wen?'

'Y Sports and Sosial Clyb, de? Pan oedd consart
Hogia'r Wyddfa yno! Mi oeddan nhw'n lapswchan fel
dau gyw bwji, medda Yncl Owie!'

Nid ewyrth go iawn i Bethan ydi Yncl Owie ond cariad
ei mam hi. Mae o'n byw hefo nhw yn Nymbar Ffôr
Manaw View. Dreifio MG ac yn gwisgo côt â sgwariau
bras arni 'fath â siwt Bob Huws Bwci. Nid bwci ydi Yncl
Owie chwaith ond becar. Mae o'n dod â chacennau

hufen ffres adra i Bethan a'i mam bob nos Lun a nos Wener. Crîm sleisus a ballu. Sdim rhyfedd bod Bethan wedi twchu'n ddiweddar. Mi fu bron i mi ddweud hynny wrthi hefyd, a hitha'n amlwg yn mwynhau gweld y siom ar fy wyneb i pan ddywedodd hi amdano *fo* a Ruth.

'Ti ddim yn fy nghredu i, nag wyt?'

O, oeddwn. Roeddwn i'n ei chredu hi. Dim *isio* credu oeddwn i, de? Mae 'na wahaniaeth, yn does?

'Miss Jôs Welsh yn ymddeol yr ha' yma, tydi, ac mae'r Ap â'i lygad ar swydd y Pennaeth Adran. Fedar o'm cael gwell cymhwyster na bod yn ddarpar fab-yng-nghyfraith i'r Prif, na fedar? Pwy ti'n nabod sy'n bwysig, medda Yncl Owie. Nid be ti'n ei wybod. Felly mae dod ymlaen yn y byd. Hŵ iw nô, de?' A chyffyrddodd ei bys yn ochr ei thrwyn yn gyfrinachol. Ydi, mae hi wedi mynd i edrych yn uffernol o dew, hefyd. Bitsh!

Ac mae hi wedi 'ngorfodi fi i sgwennu'i enw fo o'r diwedd. Yr Ap mae pawb yn ei alw fo yn yr ysgol. Dewi ap Ifor. Yr athro dela yn y bydysawd. Tan rŵan. Yn sydyn iawn, doedd dim ots gen i. Er mai'r caswir a glywais gan Bethan, ac er ei bod hi wedi dwcud y newydd mewn ffordd ansensitif a digon sbeitlyd, mi oedd hi fel petai clywed hynny wedi tynnu mwgwd oddi ar fy llygaid i. Chwalu fy sbectol binc i'n rhacs. Gwallt fel Paul McCartney o ddiawl! Mi oedd o'n barod iawn i wneud sbort am ben fy ngwallt i, yn doedd? Brych. A dyma

18

bopeth yn disgyn i'w le. Doedd dim rhyfedd nad oedd o am ateb fy nghwestiwn i yn y dosbarth ynglŷn â'r Wybrnant. Rali Cymdeithas yr Iaith. Wel, fasa hynny ddim yn edrych yn dda ar ei *CV* o, na fasa, pan oedd o'n trio am swydd Miss Jôs Welsh? Dewi ap Ifor, torrwr cyfraith. Troseddwr. Peintiwr arwyddion ffyrdd. O, na fasa! Cenedlaetholwr cogio go iawn! Gwladgarwch o fewn gwersi a dim byd arall. Cachwr.

Yn sydyn mi oedd gen i hiraeth uffernol am Gwil, er nad oedd y car wedi cyrraedd gwaelod y lôn eto. A dwi'n cofnodi hyn unwaith ac am byth – dwi wedi callio. Mi geith Dewi ap Ifor fynd i'r diawl, fo a'r Ruth Gwynab Ceffyl 'na. Dwi newydd sylweddoli fy mod i mewn cariad hefo Gwil Gweinidog. A does dim ots gen i pwy sy'n gwybod hynny chwaith!

Dydd Mawrth, Chwefror 25

Mi oedden nhw'n dweud ar y newyddion fod George Jones a Tammy Wynette wedi priodi. Mam yn chwarae recordiau canu gwlad dros y tŷ tra oedd hi'n smwddio. Therapi, medda hi. 'Gwell na'r hen betha Blewog 'na sgin ti beth bynnag.' Llythyr yn dod gan Gwil. Fi oedd wedi sgwennu ato fo'n gyntaf a doeddwn i ddim wedi disgwyl ateb gyda'r troad ond mi gefais. Roeddwn i wedi ryw awgrymu sut oeddwn i'n teimlo tuag ato fo. Mae hi'n amlwg ei fod o'n teimlo 'run fath. Wel, dwi'n meddwl ei fod o, o achos mae o wedi gofyn i mi fynd am ddêt hefo fo. Rhyw fath o ddêt. Mae 'na rali Cymdeithas yr Iaith yng Nghaernarfon ddydd Sadwrn ac mae Gwil isio i mi fynd hefo fo! Dim sôn am Bethan! Fiw i mi ddweud wrth Dad neu mi eith yn lloerig bost a 'nghloi fi yn fy stafell fel y Ferch o Gefn Ydfa ers talwm!

Dydd Iau, Chwefror 27

Wnes i ddim mynd i'r ysgol heddiw. Dolur gwddw uffernol. Picio i Arwelfa i weld Taid. Mi oedd Mam wedi mynd â Nain i Langefni i chwilio am staes newydd, ond roedd yn rhaid i rywun aros adra i ddisgwyl dyn y mîtar. Taid a fi'n chwarae draffts o flaen tân. Mae o'n dipyn o Genedlaetholwr yn y bôn. Ond fiw iddo fo gyfaddef o flaen Dad na neb arall neu fasa 'na ddim byd ond ffraeo a helynt yn tŷ 'cw. Calla dawo, dyna arwyddair Taid. Dyna sut mae o wedi llwyddo i gyd-fyw cyhyd hefo Nain, mae'n siŵr. Beth bynnag, mae'i genedlaetholdeb o'n brigo i'r wyneb ar yr adegau mwyaf annisgwyl. Fel pan ddaeth y dyn 'ma i ddarllen y mîtar. Erbyn dallt, rhyw Sgowsar oedd hwnnw, wedi'i eni yng nghyffiniau Bootle. Boi digon clên, ond yn ddistaw bach, dydi Taid byth wedi maddau 'i'r hen betha Lerpwl 'na am fynd â'n dŵr ni', chwedl yntau.

'Alright, mate?' medda dyn y mîtar wrth Taid.

'I hope you're no relation of Bessie Braddock,' medda Taid wrtho fo.

'Who?'

'You remember the story of Tryweryn, don't you? The drowning of the village! So you could come and steal our water . . .' Mi gafodd bwl o dagu.

'Cymrwch bwyll, Taid . . !'

'I only came to read the meter!' medda'r dyn. 'Jesus! Keep your hair on!'

Gan fod Taid yn foel, ddaru hyn ddim plesio chwaith. Mi aeth y dyn i ffwrdd yn reit handi ac mi es inna i wneud panad.

'Dach chi'n iawn rŵan, Taid?'

'Cael y gwyllt fydda i weithia,' medda fo a gwenu'n gam. 'Ti 'di rhoi dwy lwyad o siwgwr yn y te 'na?'

'Un fyddwch chi'n gymryd fel arfar.'

'Un fydda i'n gymryd pan fydd dy nain o gwmpas,' medda fo a wincio. Mi welais fy nghyfle.

'Taid?' Yn fy llais melys-mêl.

'Be ti isio?'

'Dach chi'n gwbod 'mod i'n ffrindia hefo Gwil, tydach?'

'O, ia. Gwilym Wynne. Mi fedrat neud yn waeth na mab y gweinidog! Mi fedra i dy weld di rŵan, yn cynnig te bach i bobol tua'r Mans 'na!'

'Calliwch, Taid! Dim ond ffrindia ydan ni.'

'Dywed ti.'

'Beth bynnag, mae o wedi gofyn i mi fynd i Gaernarfon efo fo ddydd Sadwrn.'

'Caernarfon?'

'Fanno mae'r . . . ym . . . digwyddiad.'

'Digwyddiad?'

'Rali Cymdeithas yr Iaith. Rali'n gwrthwynebu'r Arwisgo.'

'O.'

'Dyna'r cwbwl sgynnoch chi i ddeud?'

'Wel, dwi ddim yn synnu. Maen nhw'n reit benboeth tua'r Mans ynglŷn â'r iaith. Mi fu bron i Mr Wynne ei hun orfod mynd i'r jêl am beidio talu'i filiau trydan am nad oedden nhw yn Gymraeg. Mi ddaeth dau ddyn o'r Bwrdd Trydan yno a throi'r cyflenwad trydan i ffwrdd. Rhyw dro llynedd oedd hi.'

'Dwi'n gwbod. Dwi'n cofio Gwil yn deud. Welsh Nash ma' pawb yn eu galw nhw.'

'Be ti'n eu galw nhw?'

'Pobol ddewr.'

22

Gwenodd Taid. 'Mi oedd merch Wil Glanrafon yn gweithio yng Nghaernarfon. Yn siop Nelson. Siop ddillad 'run fath â honna sy yn Llangefni. Ond gadael ddaru hi. Deud wrthyn nhw lle i roi eu job am eu bod nhw wedi ei rhybuddio hi i beidio ateb y ffôn yn Gymraeg.'

'Go iawn?'

'Ffaith i ti. Mi oedd yr hanas yn y papur.'

'Chwarae teg iddi.'

'Ti am fynd ta?'

'Be?'

'I Gaernarfon hefo Gwilym Wynne?'

'Yndw. Dach chi'n meddwl 'mod i'n gwneud peth gwirion?'

'Gwylia di rhag ofn i dy dad ddod i wybod!'

Mi landiodd Mam a Nain wedyn, a Nain yn gyffro i gyd ar ôl gweld Aloma ar stryd fawr Llangefni. Mi oeddan nhw wedi bod yn siarad hefo hi hefyd, ac wedi dweud pa mor dda oedd hi a Tony a pha mor ddel oeddan nhw'n edrych hefo'i gilydd ar y stêj.

'Mi oedd hi'n gwisgo côt ffwr biws,' medda Mam. 'A sgert gwta gwta. 'Fath â'r petha mini digywilydd 'na rwyt ti'n mynnu eu gwisgo, Sara. Sdim rhyfedd eich bod chi i gyd yn swp o annwyd o hyd. Yn mynd o gwmpas wedi hanner gwisgo amdanoch.'

'Mi oedd gan Aloma annwyd 'fath â chdi,' medda

Nain, yn meddwl ei bod hi'n fy nghysuro i am fod 'na rywun enwog hefo trwyn coch a dolur gwddw hefyd.

'Gawsoch chi staes, Nain?'

'Do, cofia. Ew, mi oedd 'na ddigonedd o ddewis hefyd. Un dda 'di'r siop Nelson 'na!'

Cyn i ni fynd mi wasgodd Taid bapur chweugain yn slei i fy llaw i.

'I ti gael panad a ballu ddydd Sadwrn,' medda fo pan nad oedd y ddwy arall yn sbio. 'Ac mi faswn i'n dŵad hefo chi mewn munud hefyd – heblaw am dy nain!'

Dydd Sadwrn, Mawrth 1af

Bore oer ond sych. Disgwyl bws ddeg i Fangor. Gwynt main yn chwythu ar hyd y stryd ac i fyny fy sgert mini. Ond doeddwn i ddim yn mynd i gyfaddef bod Mam yn iawn, nag oeddwn? Mae ffasiwn yn bwysicach na choesau cynnes ac roeddwn i isio tynnu dŵr o ddannedd Gwil, yn doeddwn?

Roedd hi'n anodd peidio â thynnu sylw, a finna'r unig un yn sefyll yno'n disgwyl y bws Crosville a fyddai bob amser yn hwyr. Sawl un yn gofyn i lle'r oeddwn i'n mynd a finna'r rhoi'r argraff mai mynd hefo'r genod i siopa i Fangor roeddwn i. Roedd fy mol i'n gryndod i gyd.

24

Meddwl am weld Gwil eto. Doeddwn i ddim wedi ei weld ers iddo fynd yn ei ôl i'r coleg. Siarad ar y ffôn a llythyru – dyna'r unig gysylltu fu rhyngddon ni. Mae Bangor yn awran dda o daith ar y bws, a honno'n rownd-y-byd o daith araf a herciog, ac mae cael bws sy'n mynd yn syth drwodd heb orfod newid yn Amlwch yn dipyn o gamp hefyd.

'Dewadd, Sara Harris! A lle dach chi'n ei throi hi mor fore?' Huw Cabatsien, yr athro Gwyddoniaeth. Sglyfath. Mi sbiodd ar fy nghoesau i a'i lygaid o'n grwn yn ei ben. Trio gwneud jôc chwydlyd fel: 'Heblaw bod gen i waith siopa i'r wraig mi faswn i'n dod hefo chi i Fangor am dro, ylwch. Helpu chi i gario'r bagiau trwm 'na, yntê!'

Mi wenais i'n wantan arno fo dim ond er mwyn cadw wyneb. Mae o fel hyn hefo genod y Chweched i gyd. Dweud pethau awgrymog a disgwyl i ni chwerthin. Ond dydi o ddim yn ddoniol. Rhyw ddiwrnod mi geith o ail. Mi fydd wedi mynd yn rhy bell a dweud rhywbeth rhy awgrymog a dyna hi wedyn. Mae Bethan yn dweud os bydd o'n bowld hefo hi mi geith ei Hyncl Owie hi afael ar un o'i ffrindiau i roi stîd iddo fo. Ond mae Bethan yn rhy gegog ac mae ei choesau hi'n rhy dew. Wneith yr hen Gabatsien byth ddweud dim byd wrthi hi.

Y bws yn cyrraedd o'r diwedd. Cyfle i g'nesu dipyn. Y daith yn ddiddiwedd. Cyrraedd Bangor Uchaf a 'nghalon yn fy nghorn gwddw. Fyddai Gwil wedi cofio?

Fyddai o'n ymddwyn 'run fath ag arfer tuag ata i ynteu a fyddai pethau wedi newid? Dod i lawr oddi ar y bws a 'nghoesau i wedi cyffio. Sefyll yn fy unfan. Ystwytho. Edrych o gwmpas. Dim golwg ohono. Gweld neb roeddwn yn ei adnabod. Neb o gwbl. Criw o stiwdants yn mynd heibio, yn sgwrs ac yn sgarffiau i gyd a finna'n sydyn yn teimlo nad oeddwn i ddim i fod yno, nad oeddwn i'n perthyn. Dechrau difaru dod o gwbl . . .

'Sara!'

A dyna lle'r oedd o, yn sefyll tu ôl i mi. Gwil. Fel erioed. Yr un Gwil. Yn gwenu. Ac mi ddiflannodd y swildod oedd wedi dechrau clymu fy nhafod i.

'Ti'n iawn?'

'Ydw, wyt ti?'

'Ydw.' Chwerthin wedyn. Sbio'n wirion ar ein gilydd am rai eiliadau. Ac yna dyma Gwil yn fy nhynnu ato. Rhoi cwtsh sydyn i mi yno ar ymyl y palmant a hithau'n oer, oer – ond doedd dim ots; roedd hwn yn gwtsh gwahanol i'r cofleidio-ffrindiau oedd wedi bod. Mi oeddwn i wedi breuddwydio amdano fo a rŵan dyna lle'r oedden ni ac yntau'n teimlo 'run fath amdana inna ac roedd o'n well nag unrhyw deimlad arall yn y byd.

'Ma' dy wallt di'n ddel.'

'Doedd o ddim wsnos diwetha. Mi oedd o'n bob lliwia. Trio edrach fath â Lulu.'

'Diolch byth na wnest ti'm llwyddo, dduda i! Tyrd, ti isio bwyd?'

Rêl Gwil. Cael wy a *chips* a brechdan mewn caffi cyfagos, myfyrwyr yn gwau o'n cwmpas ni a finna'n cael fy nhynnu i mewn fwyfwy i'r cynnwrf oedd yn donnau trydanol drwy'r lle.

'Dim ond Taid Arwelfa sy'n gwbod lle dwi'n mynd go iawn heddiw 'ma.'

'Mae gan Dad feddwl mawr o dy daid,' medda Gwil. Mi oedd o'n claddu'i *chips* fel dyn ar lwgu.

'Chest ti'm brecwast, Gwil?'

Gwil yn stopio llowcio am funud. Sbio i fyw fy llygaid i.

'Do, heddiw. Dwi angen bwyta rŵan, i gadw fy nerth.'

'Cadw dy nerth. Ar gyfer be?'

'Dwi am fynd ar streic lwgu.'

'Be?'

'Ymprydio. Stopio bwyta.'

'Ia, dwi'n gwbod be 'di streic lwgu. Ond pam?'

'Protest. Yn erbyn dŵad â'r Prins i goleg Aber.'

'Argol. Sa well i mi ddeud wrth Bethan. Mi fasa llwgu'n gneud y byd o les iddi hi ar ôl yr holl gacennau 'na ma' hi wedi'u byta!'

'Dydi o ddim yn ddigri, Sara!'

'Nac'di, wn i. Sori.'

'Ti am orffen gweddill y *chips* 'na?'

Mi aethon ni'n ôl i'r tŷ lojin lle'r oedd Gwil yn byw hefo tri hogyn arall. Lle blêr oedd o. Rêl lle bechgyn yn unig. Mi fasa Eryl fy mrawd wrth ei fodd yn byw mewn lle fel'na. Ogla sanau budron a thost wedi llosgi. Mi oedd yna faneri wedi eu rowlio yn gorwedd ar ganol y llawr. Baner y Ddraig Goch. Arwyddion eraill wedi eu peintio ar ddarnau sgwâr o bren: Cofiwch 1282. Llifodd iasau o gynnwrf ac o ofn yn gymysg drwy 'nghorff. Roeddwn i yno. Roeddwn i'n mynd i fod yn rhan o brotest. Meddyliais am Taid. Wedyn meddwl am Dad. Mi gododd hynny gyfog i dwll fy ngwddw i – meddwl am ei ymateb o a Mam pe baen nhw'n gwybod beth oeddwn i ar fin ei wneud.

Daeth hogyn cringoch i'r stafell, stwcyn byr ag ysgwyddau llydain. Roedd golwg chwaraewr rygbi arno fo.

'Cochyn 'di hwn,' medda Gwil. 'Yn ei gar o fyddan ni'n mynd i Gaernarfon p'nawn 'ma.'

'Shw'mai,' medda Cochyn heb edrych arna i'n iawn a dechrau casglu'r baneri at ei gilydd. 'Hon yw hi, te, ife? Dy wejen di?'

'Ia,' medda Gwil a rhoi winc arna i. Mi deimlais yn gynnes i gyd ac yn wirion o benysgafn. Peth fel hyn oedd cariad, felly? Mi oedd o'n gwneud i mi deimlo'n bwysig. 'Ydi Yvonne yn dod hefo ni?'

'Wrth gwrs 'ny! Welest ti brotest eriôd lle bydden i'n gallu mynd hebddi hi, achan! *No show without Punch!*'

Teimlais ysfa i chwerthin yn sydyn wrth feddwl am genedlaetholwraig bybyr hefo enw fel Yvonne a'i chariad hi'n dyfynnu o 'Punch and Judy'. Mi oedd y rhain yn gymeriadau. Doeddwn i ddim yn gwybod beth i'w ddisgwyl, ond pan gyrhaeddodd Yvonne chefais i mo fy siomi. Roedd ganddi len o wallt hir melyn a chôt laes at ei thraed. Gwisgai hithau sgarff y coleg hefyd.

'Haia, chdi 'di Sara, ia?'

Am ryw reswm roeddwn i wedi disgwyl iddi hithau siarad hefo acen y de hefyd, ond merch leol oedd Yvonne, o Benrhosgarnedd. Trodd at Gwil.

'Ydi'r lleill yn dŵad? Ems a Daf?'

'Nac'dyn. 'Di mynd adra penwythnos yma.'

'O, wel, handi iawn!' Cydiodd Yvonne mewn sgarff arall oddi ar gefn un o'r cadeiriau. 'Ems 'di gadael ei sgarff ar ôl!' A rhoddodd hi o amgylch fy ngwddw i. 'Dyna ti. Ti'n un ohonon ni rŵan!'

Roedd brwdfrydedd Yvonne yn heintus. Allan â ni wedyn a stwffio'r gêr i mewn i gar Cochyn – *Morris Traveller* bach gwyrdd fel un Wilff Tŷ'n Brwyn ers talwm. Roedd gweld y car bach hwnnw'n gwneud i mi deimlo'n reit gartrefol.

'Lle chi'n mynd i ishte, te, bois? Y genod yn y cefn, ife?'

Ond pan welodd Gwil gysgod bach yn dod dros fy wyneb i, mi ddywedodd yn gyflym:

'Na, mi a' i i'r tu ôl at Sara!'

Pan glywodd o hynny dechreuodd Cochyn wincio'n awgrymog a dweud petha lled anweddus nes cafodd o bwniad gan Yvonne a rhybudd i gau'i geg.

'Chwarae teg. Dydyn nhw ddim yn cael cyfle i weld ei gilydd yn aml, nac'dyn? Nid fel chdi a fi, Coch!'

Ac mi wnaeth hynny i mi deimlo'n reit eiddigeddus. Roeddwn innau isio bod yn rhan o hyn i gyd drwy'r adeg. Nid ar ambell ddydd Sadwrn yn unig. Roedd hwn yn fyd newydd, cyffrous heb rieni'n gwgu ac athrawon yn pregethu.

Roedd hi'n braf yng nghefn y car er bod yna ddarnau o gardfwrdd a nialwch o dan ein traed ni ym mhob man. Braf eistedd yn agos at Gwil, teimlo'i gorff o'n drwm ac yn gynnes yn erbyn f'un i, a Gwil yn cydio'n dynn ynof fi bob tro y digwyddai hynny, a blewiach ei groen o'n gras yn erbyn fy moch i.

'Hei, pam nad wyt ti wedi siafio heddiw a hitha'n ddiwrnod mor bwysig?' medda fi wrtho fo'n gellweirus.

'Dydi stiwdants ddim i fod i siafio,' medda Gwil. 'Dan ni i fod i edrach yn flêr. Beth bynnag, ma' gin i flys tyfu mwstásh! Wnes i'm deud wrthat ti, naddo?'

Ac mi ddechreuon ni'n dau chwerthin yn wirion ac

Yvonne yn gweiddi: 'Hei, chi'ch dau, be sy'n mynd ymlaen yn y tu ôl 'na!'

Cyrraedd Caernarfon mewn môr o chwerthin a chadw reiat a chael andros o drafferth cael hyd i le parcio. Welais i erioed gymaint o bobol. Roedd y cei dan ei sang. Cannoedd o brotestwyr a baneri ac arwyddion wedi eu dal yn uchel. Roedd yr awyrgylch yn drydanol. Daliais yn dynn yn llaw Gwil. Gwasgodd yntau fy llaw innau'n ôl yn gysurlon. Roedd hi'n teimlo mor iawn, mor naturiol, bod yno hefo Gwil yng nghanol môr o gyd-Gymry. Roedd yna ryw urddas braf yn perthyn i'r cyfan, i gofio Llywelyn, i gofio'n traddodiad, i wrthdystio yn erbyn cael tywysog o Loegr. Oni ddylai pob Cymro deimlo fel hyn? Roedd yna heddlu hyd ochrau'r strydoedd ac mi feddyliais am Dad. Wrth i ni gerdded drwy'r dref yn dal ein baneri mi sylweddolais gyda siom nad oedd y bobol ar y stryd yn cydymdeimlo hefo ni nac yn ein cefnogi ni. Roedd rhai hyd yn oed yn gweiddi petha cas arnon ni. Wyddwn i ddim fod yna gymaint o gasineb. Cymaint o ddallineb.

Roedd yna lai o lawenydd yn y car ar y ffordd yn ôl i Fangor.

'Mi oedd 'na gannoedd yna, yn doedd?' medda fi, er mwyn llenwi'r distawrwydd. Roedden ni i gyd yn ymwybodol o agwedd negyddol pobol y dref tuag at y

Gymdeithas. Teimlwn rywfaint o euogrwydd fy hun. Onid syniadau felly oedd gan Dad?

Sylwodd Gwil arna i'n edrych ar fy wats.

'Does dim rhaid i ti ddal bws adra heno,' meddai.

'Be? Ond fedra i ddim aros . . .'

'Dwi'n dŵad adra i fwrw'r Sul. Mae Dad yn dod i fy nôl i heno. Gei di ddod adra hefo fi!'

A hynny fu. Mae Gwil adra ym Mronallt heno a dwi'n mynd yno fory am ginio Sul hefo fo cyn iddo fo fynd yn ei ôl. Dyma'r mwya dwi wedi'i sgwennu hyd yn hyn am unrhyw ddiwrnod. Dyma'r mwya sy wedi digwydd i mi mewn un diwrnod ers amser maith.

Be ddudith Bethan, tybed, pan glywith hi?

Dydd Sul, Mawrth 2

Aethon ni â Ned am dro ar ôl cinio i Goed Plas. Doedd ganddo fo fawr o amynedd chwaith. Cysgu ydi petha Ned. Cysgu a glafoerio. Mae'r creadur wedi mynd i oed. Ond roedd o'n gyfle i Gwil a fi gael ychydig o amser hefo'n gilydd cyn iddo fo fynd yn ei ôl.

'Pryd wela i di eto, Gwil?'

'Yn fuan.'

'Ti'n siŵr?'

'Yn berffaith siŵr.'

'Gwil?'

'Be?'

'Mi fyddi di'n bishyn pan dyfith dy fwstásh di!'

'Be? Dydw i ddim yn bishyn fel ydw i, felly?'

'Mwy o bishyn fyth o'n i'n feddwl ddeud!'

Mi ddaeth hi'n amser iddo fo fynd yn ei ôl cyn i ni droi bron.

Dwi ar goll hebddo fo. Dwi'n casáu nos Sul beth bynnag. Ond mae heno'n waeth. Diolch byth am y dyddiadur 'ma. Wrth sgwennu, dwi'n medru ail-fyw pob dim.

Dydd Llun, Mawrth 10

Oes, dwi'n gwybod bod yna fwlch wedi bod eto. Mae hi'n amhosib sgwennu bob dydd, ond dwi'n benderfynol o gofnodi'r pethau pwysicaf. Wel, maen nhw'n ymddangos yn bwysig ar y pryd, beth bynnag. Mae hi wedi stido bwrw drwy'r dydd. Y tywydd wedi bod yn uffernol drwy'r wythnos, a dweud y gwir. Clywed ar y newyddion fod James Earl Ray wedi pledio'n euog o lofruddio Martin Luther King yn Memphis, Tennessee. Wedi bod yn ymarfer o ddifrif ar gyfer Eisteddfod yr Urdd yn Aberystwyth eleni. Mae Bethan, hyd yn oed, wedi ymuno hefo'r parti cerdd dant. Ein cyfle ola ni i wneud petha hefo'r ysgol, medda hi. Mae hi'n iawn, wrth gwrs. Dwi ar dân isio mynd i Fangor rŵan. Mi fydd Gwil ar ei flwyddyn ola erbyn hynny, ond o leia mi gawn ni rywfaint o amser yno hefo'n gilydd.

Dydd Iau, Mawrth 13

Galw yn Arwelfa ar y ffordd adra o'r ysgol. Y teledu wedi bod ymlaen drwy'r dydd. Nain â diddordeb mawr yn nychweliad Apollo 9 o'r lleuad.

'Does dim rhyfadd bod y tywydd wedi bod mor uffernol,' medda Taid.

'Be ti'n ei fwydro, Dic?'

'Iancs diawl. Gyrru nialwch i'r lleuad, wir! Dydi o ddim yn beth naturiol, nac'di? A be dan ni'n gael ar y ddaear 'ma? Tywydd mawr a ballu. Tydi'r Bod Mawr ddim yn cysgu, yli, Edith. Trio deud wrthan ni i lawr yn fama am beidio busnesu hefo petha dan ni ddim yn eu dallt mae o!'

'Ma'r rhain i'w gweld yn dallt eu petha'n o lew,' medda Nain. 'Ma'r peth lŵnar 'ma wedi bod yna ac yn ôl mewn tridia. Gyrru pobol wnân nhw rŵan.'

'Maen nhw isio rwbath i'w neud yn uffernol, ma' raid,'

medda Taid. 'Mi oeddan nhw'n potsian 'run fath hefo'r blydi eroplên 'na wsnos diwetha. Consort, neu rwbath.'

'*Concorde*, Taid. Mi fydd hi'n torri'r *sound barrier* rhyw ddiwrnod, meddan nhw.'

'Na fo, ylwch. Ddudish i, do? Fedrwch chi ddim chwara hefo'r petha 'ma heb dorri rwbath.'

'Mi faswn i wrth fy modd cael gweld y lleuad,' medda Nain yn reit freuddwydiol.

'Wel, tydach chi'n gweld y diawl peth bob nos, ddynas!' medda Taid wedyn. 'Be haru chi, dwch?'

'Mynd yno, dwi'n feddwl,' medda Nain. 'Meddylia, gweld rhyfeddoda.'

'Dydi hynny ddim yn syniad drwg,' cytunodd Taid. 'Meddylia, Sara, llonydd faswn i'n ei gael wedyn. Dy nain tua'r lleuad 'cw. Mi faswn i'n cael rhoi faint fynnir o siwgwr yn fy nhe wedyn!'

'Ma' 'na ryfeddoda i'w gweld ar y bocs 'ma hefyd,' medda Nain wedyn, yn anwybyddu Taid fel mae Mam yn ei wneud hefo Dad. Neb yn gwrando ar neb. Fydd Gwil a fi byth fel'na! 'A dwi 'di bod yn meddwl, Dic.'

'O? Peryg mai dyna pam ma' hi'n dywydd mawr!' Hyn â winc arna i.

'Ma' hi'n bryd i ni symud hefo'r oes. Cael y cylyr telifision 'ma sy isio! Mi awn ni'r penwythnos 'ma i weld be sy tua Curry's! Mi fasan ni'n cael gweld seremonïau mewn lliw a phob dim!'

'Seremonïau?'

'Ia. Y Prins bach ifanc 'na'n dŵad i Gaernarfon a ballu, te?'

Haleliwia! Nain isio teledu lliw. Ac yn waeth na hynny, mae hi isio'i gael o'n arbennig ar gyfer gweld yr Arwisgo! Taid druan! O, naaaaa!

Dydd Sadwrn, Mawrth 15

Eisteddfod Sir. Y Côr Cerdd Dant yn ennill! Am Aber â ni rŵan! Roedd pobol yn ein llongyfarch, a hyd yn oed yn dweud ein bod ni'n lwcus iawn eleni oherwydd fod y Prins yn dod! Dwi ddim yn dallt pam eu bod nhw i gyd mor daeog! Bu farw tywysog ola' Cymru yn yr eira yng Nghilmeri ond dydi'r bobol bwysig yn poeni dim am hynny bellach. Yn cofio dim. Roedd 'na gannoedd ohonon ni yn y rali yng Nghaernarfon bythefnos yn ôl ac eto, o 'nghwmpas i ym mhob man, hyd yn oed yn Eisteddfod Sir yr Urdd heddiw, mae 'na Gymry Cymraeg yn croesawu dyfodiad Charles Windsor i goleg Aber.

Amlen fawr yn cyrraedd i mi o Fangor bore 'ma. Anrheg gan Gwil. Copi o *Tafod y Ddraig* ar ei newydd wedd, a llun y tafod yn grwn ar ymyl chwith y clawr.

'Be 'di hwnna?' meddai Mam.

'Llythyr caru mawr uffernol!' meddai Eryl.

'Dim ond rwbath gan Gwil,' medda fi. 'Cylchgrawn.'

'Ma' 'na rwbath arall yn yr amlen hefyd!' meddai Eryl yn llygaid i gyd.

'Nag oes!'

'Oes Tad! Gad i mi weld . . . '

Mi fu bron iddo fo rwygo'r poster yn ei gyffro.

'Hei, lluniau plismyn . . !'

'Ty'd â hwnna'n ôl . . .'

'Plismyn?' meddai Dad, sydd bob tro o gwmpas y lle pan fo gen i rywbeth i'w guddio. Rêl plisman.

'Dydi o'n ddim byd . . .' medda finna wedyn, yn trio 'ngorau glas i gipio fy mhoster 'cyfrinachol' o grafangau Eryl. Ond roedd hi'n rhy hwyr. Dyna lle'r oedd o, yn serennu ar fwrdd y gegin. 'MAE'N DROSEDD BOD YN GYMRO'. Poster yn dangos rhywun yn cael ei arestio gan yr heddlu. Ei drosedd oedd dal poster tebyg i fyny mewn protest. Ac fel petaen ni i gyd yn anllythrennog, darllenodd Eryl yn uchel:

'"Mae unrhyw un sy'n beiddio dangos ei fod yn Gymro, yn awr mewn perygl o gael ei gipio gan heddlu cudd Dixon, o Amwythig. A'r trosedd? Digon hawdd ffeindio un".'

Aeth pawb yn ddistaw. Mor ddistaw fel bod modd clywed eu gyddfau nhw'n llyncu. Fedrwn i ddim llyncu. Roedd fy ngheg i wedi sychu'n grimp.

'Sgin ti'm cywilydd, dywed?' medda Dad ymhen hir a hwyr. Roedd y ffaith ei fod o'n siarad yn ddistaw yn gwneud pethau'n waeth.

'Chi ddylai deimlo cywilydd!' Daeth y geiriau allan yn un bwrlwm gwyllt. Roeddwn i o 'ngho hefo Eryl hefyd, doeddwn? Oni bai amdano fo, fyddai dim o hyn wedi digwydd.

'Paid ti â siarad fel'na hefo dy dad . . .' Mam. Yn ei gefnogi o fel arfer.

'Ond mae o'n wir! Sbiwch be mae o a'i debyg yn ei wneud i bobol ddiniwed, dim ond am eu bod nhw'n Gymry! Cymry 'run fath â fo. A chitha! Be sy'n bod arnach chi yn y tŷ 'ma?'

'Mae'n well i ti roi'r gorau i'r syniadau Welsh Nash 'ma rŵan hyn, 'y ngenath i!' medda Dad. 'Hogan wedi'i magu'n barchus 'fath â chdi. Cym di ofal! A finna'n blismon a phob dim. Jyst cofia di cyflog pwy sy'n rhoi bwyd ar y bwrdd a dillad ar dy gefn di, dyna'r cwbwl! Mi fydd raid i ti roi'r gorau i gyboli hefo hogyn y gweinidog os mai syniadau fel'na mae o'n eu stwffio i dy ben di!'

Agorais fy ngheg i ddadlau, ond roedd Mam yn gwneud llygaid arna i felly mi wnes i ailfeddwl. Stwffio'r cyfan i fy mag ysgol ac allan.

Diolch byth nad oedd Dad wedi cyrraedd adra o'i waith pan ddychwelais. Digon tawel oedd Mam, am unwaith. Roedd hi'n amlwg bod y ffrae bore 'ma wedi cael effaith arni hi.

'Lle ma' Eryl?'

'Tŷ Dafydd.'

Wnaeth hi ddim gofyn sut ddiwrnod ges i yn yr ysgol na dim. Roedd hi'n gwbl amlwg fy mod i wedi pechu go iawn. Llwyth o waith cartref a dim mynedd i'w wneud o. Methu dioddef aros yn y tŷ a Mam fel oedd hi. Penderfynu picio i Arwelfa.

''Di Taid yma?

Roedd Nain yn y gegin â'i chefn ata i yn hwylio panad. Y gegin fach wedi'i llenwi hefo mymryn prin o haul mis Mawrth. Dwi'n lecio cegin Arwelfa. Mae hi'n hen ffasiwn, gysurus. Tân agored. Silff ben tân. Dau gi tsieina gwyn yn wynebu'i gilydd ar y silff honno, a'r rheiny'n cael dôs o fwg taro bob hyn a hyn pan fyddai'r gwynt yn newid. Bwrdd mawr nobl wedyn, ar ganol y llawr, a phot halen a phowlen siwgwr arno bob amser.

'Ti am banad hefo ni?' meddai Nain heb drafferthu ateb fy nghwestiwn i. Mae hi wedi hen arfer hefo hynny. Dyna fy arferiad i er pan oeddwn i'n bedair oed wrth landio yn Arwelfa. Sefyll yn nrws y gegin a gweiddi am Taid.

'Iawn. Lle mae o ta?'

'Allan yn y cefn yn trwsio drws y cwt glo. Yli, gei di fynd â hon iddo fo.'

Finna'n mynd allan i'r iard gefn hefo panad bob un i Taid a fi. Teimlo'r awel yn fain a ffres ar fy ngwegil. Teimlo'n rhan o fyd bach arall cysurus, a miri tŷ ni'n bell i ffwrdd.

'Be dach chi'n neud?'

'Ffrio wya. Be ti'n feddwl dwi'n neud?'

'Trwsio drws y cwt neu rwbath, medda Nain . . .'

Ia, dy nain,' medda Taid a rhoi ochenaid ddofn cyn drachtio'n hir o'i de melys. 'Ma' isio gras hefo honno weithia hefyd . . !'

'Be sy wedi digwydd rŵan?' Mae Nain a Taid yn ddoniol pan fyddan nhw'n mynd drwy'u pethau.

'Rhyw gath 'di bod yn y cwt glo neithiwr a gneud llanast, te?' medda Taid. 'A dy nain yn dod yma bore 'ma i nôl glo ac yn cael shefliad o gachu cath yn y fargen! A phwy sy'n cael y bai? Y fi, dyna i ti pwy! Fasat ti'n meddwl mai fi fuo yno'n troi 'nghlos! A rŵan mae hi'n bygwth cau'r lle tân a chael tân trydan. Meddylia! Isio symud hefo'r oes, medda hi. Wedi gweld dy fam yn cael rhyw grandrwydd felly ac yn meddwl cael yr un fath. Wel, meddwl fydd hi, os fydd gen i rywbeth i'w wneud â'r peth, dallta!'

Taid druan. Cheith o mo'i draed dano os bydd Nain wedi meddwl. Ond mae o'n un da am wrando. Am wneud i mi deimlo'n well am bethau. Fo ydi'r un sy'n ty nallt i, go iawn.

'Stopiwch am funud a steddwch i yfed hwn.'

Y ddau ohonon ni'n eistedd ar wal yr ardd lysiau. Finna'n bwrw fy mol. Ddywedodd o ddim byd am yn hir. Gorffennodd ei de. Ymhen hir a hwyr dyma fo'n dweud:

'Sticia di at dy stondin, 'mechan i. Does 'na ddim byd yn bod mewn credu'n gryf mewn pethau. Mae 'na fwy o bobol nag wyt ti'n feddwl yn credu'r un fath â chdi yn ddistaw bach, tasat ti ddim ond yn gwybod.'

'Ond pam yn "ddistaw bach"? Pam na chodan nhw'u lleisiau?'

'Ofn y canlyniadau, ma'n siŵr.'

'Be dach chi'n feddwl?'

Rhoddodd Taid ei gwpan wag ar ben y wal. Roedd hi'n dechrau oeri.

'Sbia ar y ffatri ddillad 'na lle ma' genod y pentrefi cyfagos 'ma i gyd yn gweithio. A'r hen le mawr prosesu cemegion hwnnw ar Benrhyn Llechog. Pwy sy'n rhedeg y llefydd hynny? Saeson. Pwy sy'n cyflogi pobol leol? Saeson. Mae hyd yn oed y bobol newydd 'na yn Siop

Gwelfor wedi newid enw'r lle yn Sea View Stores. Saeson o ochrau Warrington yn dod yma i ddweud wrthan ni sut i fyw! A pham dan ni'n cymryd ganddyn nhw? Oherwydd mai diwedd y gân ydi'r geiniog, Sara fach. Arian ydi'r mistar, gwaetha'r modd, a'r rheswm pam fod Sali Goleufryn yn siarad Saesneg hefo pawb sy'n dod i Siop Gwelfor rŵan yng ngŵydd yr horwth Sais 'na os nad ydi hi isio'r sac!'

Dyn addfwyn ydi Taid. Dyn tawel. Ond roedd yr araith danllyd yna'n ysbrydoledig. Teimlwn yn well. Yn ddewr. Yn arwres. Fi oedd un o'r rhai prin hynny oedd yn barod i ymladd dros y gwan, yr amharod, yr anwybodus. Pan es i adra'n ôl roeddwn i'n barod i wynebu pawb. Yn anffodus – neu'n ffodus! – doedd dim rhaid i mi. Roedd Dad yn gweithio shifft ddwbwl a Mam wedi danfon Eryl i'w wers biano. Llonydd. Llonydd i feddwl. Mae bod ar eich pen eich hun mewn tŷ gwag yn beth braf. Ces fy nhemtio gynnau i chwarae rhai o fy recordiau Blew ar y stereogram newydd. Eu blastio nhw dros y tŷ. Ond roedd Dad wedi'n rhybuddio ni – Eryl a finna – i beidio mynd yn agos ato fo rhag 'difetha'r bìn'. *Diamond stylus* neu rywbeth. Isio llnau recordiau'n lân rhag cael llwch arni. Cadw'n glir oedd orau heno. Mi gymrith ddyddiau i Dad ddechrau ymddwyn yn normal hefo fi eto. Rydan ni'n dau'n rhy debyg i'n gilydd, yn ôl Mam. Pengaled.

Dydd Gwener, Mawrth 21

Dychryn i ffitiau bore 'ma. Taid wedi cael rhyw bwl rhyfedd yn y nos ac yn cael trafferth anadlu. Doctor Ifan yn trefnu ambiwlans i fynd â fo i'r ysbyty. Tad Gwil yn mynd â Nain a Mam a fi i'r C & A ym Mangor. Ogla antiseptig ym mhob man. Hen goridorau hir, fel cyfuniad o ysgol a charchar. Nid 'mod i'n gwybod sut le sydd mewn carchar chwaith. Gweld Taid wedi ei garcharu yn y ward wnaeth i mi feddwl am hynny. Taid yn edrych yn ddiarth mewn pyjamas a heb ei ddannedd a'i sbectol. Taid yn llwyd fel llinyn a finna ofn. Fedra i ddim dychmygu byd heb sgyrsiau Taid. Heb Taid ei hun. Mae Nain yn ddistaw a'i hwyneb yn feddal i gyd fel awyr ar ôl iddi fwrw. Mae hi wedi dechrau gwisgo modrwy gafodd hi gan Taid flynyddoedd yn ôl. Dydw i ddim yn gwybod beth i'w wneud, felly dydw i'n dweud dim. A dwi'n gwybod nad fel hyn fasai hi tasai Taid hefo ni yn y car a Nain yn yr ysbyty'n sâl. Does gen i mo'r help. Fel'na ydw i'n teimlo.

Dydd Mawrth, Mawrth 25

Taid yn dod adra pnawn 'ma! Problem efo'i galon sy ganddo fo, ac mae'n rhaid iddo gymryd pwyll, meddai doctoriaid Bangor. Mi fydda i'n mynd i aros i Arwelfa atyn nhw am 'chydig er mwyn helpu Nain i edrych ar ôl Taid. Mae hynny'n fy mhlesio i i'r dim. Mi ga i ddianc oddi wrth Dad am rywfaint, ond mae salwch Taid wedi rhoi gormod o sioc i ni i gyd a gwneud i ni anghofio'r cweryl. Wel, am y tro, beth bynnag.

Dydd Mercher, Mawrth 26

Dim ysgol heddiw. Wel, dim i mi. Gwell hwyliau ar Taid a dwi wedi perswadio Nain na fydda i ddim yn colli dim byd o werth. Picio i'r pentref i nôl torth a phapur newydd i Taid. Hwnnw'n sbio'n slei arna i a gwasgu tri swllt i gledr fy llaw i.

'Gofyn i Wil os ydi fy nghopi i o *Barn* wedi cyrraedd,' medda fo. 'Ac os llwyddi di i'w guddio fo rhag dy nain, mi gei di gadw'r chwe cheiniog o newid!'

'Pam na fasa Nain isio i chi ddarllen *Barn*?'

Doeddwn i ddim wedi ei ddarllen o fy hun erioed. Y cwbwl wyddwn i am gylchgrawn *Barn* oedd ei fod o'n sôn am bethau gwleidyddol ac yn edrych yn ddiflas. Doedd hi ddim fel pe bai 'na luniau o bobol noethlymun ynddo fo, nag oedd?

'O, mi wyddost am dy nain. Mi fasai hi'n meddwl fy

44

mod i'n troi'n Welsh Nash, a fasa hynny ddim yn gneud y tro o gwbl, na fasa?'

Dydw i ddim yn meddwl fod yna beryg o hynny. Taid yn 'troi'n Welsh Nash'! Does 'na ddim gwaith 'troi' arno fo. Mae o'n genedlaetholwr yn barod. Ond yn y dirgel. Rhag pechu. Tynnu Dad yn ei ben, er mai mab-yng-nghyfraith ydi o. A phechu Nain? Wel, doedd hynny ddim hyd yn oed yn ddewis, nag oedd? Nain oedd yn gwneud pob penderfyniad yn Arwelfa. Nain oedd yn dweud beth oedden nhw'n ei gael i'w fwyta bob pryd, Nain oedd yn dewis lle i fynd ar bnawniau Sadwrn, a Nain oedd yn dewis beth i'w wylio ar y teledu. Ac os oedd angen peintio, neu bapuro, Nain oedd yn dewis y lliw. Ac nid gwyrdd fydda fo!

Dydd Sul, Mawrth 30

Ysgol fory. Dwi adra'n ôl ers neithiwr. Fy ngwely i fy hun yn teimlo'n rhyfedd ar ôl bron i wythnos yn y gwely bach cul yn llofft gefn Arwelfa. Mae hi'n braf cael bod yn ôl yng nghanol fy mhethau fy hun ond roedd Arwelfa'n ddifyr hefyd. Yn ddistaw braf. Dim Eryl yn strymio'i hen gitâr wirion o hyd. Dim Dad hefo wyneb fel taran pan fo unrhyw sôn am Gymdeithas yr Iaith a Gwil a Dafydd

Iwan. Mi fasa unrhyw un yn meddwl ei fod o wedi'i eni'n Sais.

Dwi wedi smyglo copi Taid o *Barn* adra hefo fi. Roeddwn i'n teimlo fel taswn i'n dod â bom i'r tŷ! A dyma lle'r ydw i rŵan yn fy stafell wely a dim ond golau bach i ddarllen wrth ochr y gwely. Dwi'n rhoi'r gorau i sgwennu er mwyn cael cyfle i ddarllen hwn. Dydi o ddim yn edrych yn ofnadwy o gyffrous chwaith. Lot o brint mân a llun o gastell Caernarfon ar y clawr. Dwi isio mynd i gysgu'n barod . . .

Bore Llun, Mawrth 31

Mi wnes i gam â *Barn*. Mi oedd 'na lun o Mary Hopkin ynddo fo hefyd! Ond yn bwysicach fyth, mae yma erthygl gan Dafydd Iwan. Nid pishyn yn unig mohono fo! Mae o'n ysbrydoledig! A'r hyn sy'n bwysig ydi'r synnwyr cyffredin sydd ynddo fo. Dechrau wrth ein traed, medda fo. Dyna ddylan ni ei wneud. Dwi wedi dechrau dysgu rhai o'i frawddegau fo ar fy nghof yn barod, ac maen nhw'n aros yno'n hawdd, fel geiriau ei ganeuon o:

'Ein priod-waith ni, a'n dyletswydd yng Nghymdeithas yr Iaith, yw ennill i'r Gymraeg ei lle teilwng ym mhob

46

agwedd ar fywyd Cymru, a'i gwneud unwaith eto yn rym ac yn hanfod yn ein gwlad.'

Mae gen i hyder newydd. Diolch, D.I. A diolch, Taid Arwelfa.

Dydd Mawrth, Ebrill 1af

Pan ddywedodd Eryl fod yna alwad ffôn i mi o'r Mans, mi oeddwn i'n meddwl mai jôc ffŵl Ebrill oedd hi.

'Paid â mwydro. Ti ddim yn mynd i fy nal i fel'na!'

'Go iawn!' Eryl yn sibrwd yn wyllt a'i law dros y darn siarad. 'Be dwi i fod i ddeud wrth Mrs Wynne?'

'Mrs Wynne?'

'Ia, Mrs Wynne. Gwraig y gweinidog. Mam Gwil!'

'Rŵan dwi'n gwbod dy fod ti'n eu palu nhw! I be fasa mam Gwil . . .'

Ond torrodd Eryl ar fy nhraws a siarad – yn rhyfeddol o glên a chwrtais (dyna wnaeth i mi ei gredu o o'r diwedd) – i mewn i'r ffôn:

'Ydi, Mrs Wynne, dyma hi i chi rŵan, ylwch . . .'

Roedd hi'n tynnu am chwarter i naw ac mi wyddwn i erbyn hyn fy mod i wedi colli'r bws i'r ysgol. Roedd yna rywbeth go bwysig, mae'n rhaid, iddi hi fy ffonio i'n bersonol. A'r adeg yna o'r bore hefyd. Gwil! Mae'n rhaid fod yna rywbeth wedi digwydd i Gwil . . !

'Mae'n ddrwg gen i roi braw i chi, Sara fach. Ond fydd gen i ddim cyfle arall i'ch ffonio chi heddiw . . . Dim ond gadael i chi wybod eu bod nhw wedi mynd â Gwilym i'r ysbyty neithiwr . . .'

'Be sy wedi digwydd . . ?' Clywed fy llais i fy hun yn fach ac yn bell.

'Maen nhw wedi ei gadw fo i mewn dros nos . . . meddwl fod clefyd siwgwr arno fo. Maen nhw'n gwneud rhyw brofion arno fo bore 'ma.'

'Clefyd siwgwr?'

'Ia. Maen nhw'n meddwl ei fod o'n deiabetig. Ei gorff o ddim yn creu digon o insiwlin.'

Mi wyddwn i'n iawn beth oedd clefyd siwgwr. Roedd Brenda, fy nghyfnither, yn dioddef o hwnnw, ac yn gorfod rhoi pigiad o insiwlin iddi hi ei hun bob dydd. Wedi gorfod dysgu rhoi injecsions i oren pan oedd hi'n ddim o beth. Bob tro oeddwn i neu Eryl yn cwyno hefo rhyw aflwydd neu'i gilydd, byrdwn Mam fyddai: 'Meddyliwch am Brenda fach dlawd, yn gorfod injectio'i hun bob dydd.' Roedd hynny fel arfer yn llwyddo i godi cywilydd arnon ni ac i gau'n cegau ni am weddill y diwrnod. O, gwyddwn, mi wyddwn i am glefyd siwgwr. Ond roedd o'n gallu bod yn beth peryglus.

'Pryd aeth o'n sâl?'

48

'Yn hwyr neithiwr. Colapsio wnaeth o. Doedd o ddim wedi bod yn bwyta ers dyddiau . . .'

Y streic lwgu! Gwil druan. Penderfynais gadw hynny'n dawel gan nad oedd mam Gwil wedi crybwyll y peth, rhag ofn na wyddai hi ddim am y cynllun oedd gan yr hogia. Hogia Aber a hogia Bangor yn dod at ei gilydd ac yn protestio yn erbyn dyfodiad Prins Charles fel myfyriwr i Aberystwyth drwy ymprydio. Roedd Gwil wedi sôn am hynny wrtha i dro byd yn ôl ond chymrish i fawr o sylw ar y pryd, dim ond tynnu ei goes am y peth. Mae Gwil yn gorffyn go fain ar y gorau. Doeddwn i ddim yn siŵr beth fyddai ymateb Mrs Wynne pe bawn i'n dweud hynny wrthi hi rŵan. Oedd, roedd hi'n gefnogol i'r achos, yn genedlaetholwraig, ond sut byddai hi'n ymateb pe bai hi'n meddwl y byddai Gwil yn fodlon rhoi'i fywyd yn y fantol? Cau 'ngheg oedd orau. Trefnais i fynd hefo Mrs Wynne i weld Gwil ar ôl dod adref o'r ysgol.

Roedd canolbwyntio ar wersi'n amhosib heddiw. Hyd yn oed y gwersi Cymraeg. Rydan ni wrthi'n astudio 'Madog' gan T. Gwynn Jones. Dwi wedi gwirioni ar hwnnw ond roeddwn i'n priodoli popeth yr oeddwn i'n ei ddarllen i Gwil:

Wylai cyfeiliorn awelig yn llesg yn yr hesg a'r llwyni,
Nos, dros y bryniau dynesai, dydd, ymbellhai dros y don;
Mwyn ydoedd glannau Menai, a'r aur ar Eryri yn pylu,
Su drwy goedydd Caer Seon, Môn yn freuddwydiol a mud.

Roedd afon Menai rhwng Gwil a fi bron drwy'r adeg ac yntau ym Mangor, ond yn y coleg ym Mangor nid yn yr ysbyty. Roedd hyn yn wahanol. Mi ddaeth rhyw dristwch drosta i a theimlad o isio crio. Meddyliais am yr awel yn crwydro'n unig rhwng yr hesg ac am Gwil ddewr yn unig yn ei wely mewn ward ysbyty. Codi fy mhen o fy llyfr o'r diwedd a sylweddoli bod yr Ap yn gofyn cwestiwn i mi. Mei a'i law i fyny, jest â marw isio dweud rhywbeth, yn amlwg yn gwybod yr ateb. Rhian Fawr yn cogio chwilio yn ei bag am rywbeth, yn amlwg *ddim* yn gwybod, ac yn gwneud popeth i drio osgoi bod yn yr un sefyllfa â fi. Y gwahaniaeth rhyngddyn nhw a fi oedd nad oeddwn i ddim hyd yn oed yn gwybod beth oedd y cwestiwn yn y lle cynta. Sôn am dro ar fyd! Ychydig wythnosau yn ôl mi faswn i wedi clywed, sylwi a nodi pob anadliad o eiddo Dewi ap Ifor, heb sôn am y doethinebau a rowliai dros ei wefusau hardd a hynod rywiol o. Erbyn hyn, ar ôl clywed amdano fo a Ruth a pha mor fas ac arwynebol ydi ei ddaliadau gwleidyddol o – heb sôn am y ffaith fy mod i wedi darganfod gwir ystyr bod mewn cariad hefo Gwil Gweinidog (!) – does gen i ddim amynedd bellach hefo'r Ap. Ond – ac mae hyn yn dra phwysig – mae gen i amynedd hefo T. Gwynn Jones a dydi'r snichyn ddim yn mynd i fy nhroi fi yn erbyn fy hoff bwnc yn yr holl fyd. I Taid mae'r diolch fy mod i'n hoffi Cymraeg. Fo sy'n dyfynnu barddoniaeth o hyd ac yn dweud hanesion beirdd ac ati wrtha i er pan oeddwn i'n ddim o beth. Eisin ar y deisen oedd bod mewn cariad yn y dirgel hefo Dewi ap Ifor. Dydi o ddim mor glyfar â hynny chwaith. Mi fasa Taid yn gwneud gwell athro na fo o lawer. Cheith o byth mo'r swydd Pennaeth Adran 'ma pan fydd Miss Jôs yn ymddeol. Mae o'n ormod o linyn trôns.

'Wel, Sara? Fedrwch chi egluro "wedi'r dymestl wyllt" i ni? Ynteu ydan ni am adael i Meirion ddweud wrthon ni . . ?'

Dyma fi'n troi a gweld Mei'n cilwenu'n fodlon. Brych. Mae o'n fy ngwylltio i pan fydd pobol yn awgrymu fy mod i'n ddwl. Mi sgyrnygais i ar Mei ac edrych i fyw llygaid Dewi ap Ifor. Dydi hwnnw ddim yn gwybod faint o golled mae o wedi'i chael wrth ddewis peidio â sylwi ar fy rhinweddau i!

'"Ar fôr tymhestlog teithio'r wyf . . ." Mae Taid yn dweud hynna o hyd. Storm ydi tymestl. Ma' pawb yn gwybod hynny, tydyn, Syr?' (Methu maddau rhoi honna i fewn!) 'Felly 'swn i'n dweud mai tawelwch wedi'r storm ydi ystyr y geiriau yn y llinell yna.'

Mei yn edrych yn bwdlyd a Rhian Fawr yn gwenu fel giât rŵan am ei bod hi'n ddiogel. Yr Ap yn sbio'n syn, fel y gwnaeth o fis yn ôl pan benderfynodd o ofyn i mi ddarllen y gerdd 'Rhiannon' gan Gwenallt. Dydi o ddim wedi bod yn gofyn i mi ddarllen yn uchel. Efallai nad oedd o isio codi cywilydd arna i. Meddwl nad oedd 'na ryw lawer yn fy mhen i, mae'n siŵr. Ac ers talwm mi oeddwn i'n barod i faddau hynny iddo fo, yn doeddwn? Fo wyddai orau am bob dim bryd hynny. Ond mae pethau wedi newid rŵan, yn dydyn? Neu'n hytrach, mi ydw *i* wedi newid. Mae gen i fwy o hyder, diolch i Gwil. Mae o wedi dangos i mi sut i weld gwerth ynof fi fy hun. Beth bynnag, mi ofynnodd yr Ap i mi ddarllen 'Rhiannon'. Fel arfer, Llio oedd yn cael cynnig, neu Mei. O, ac Awen, wrth gwrs, am ei bod hi'n ferch i athrawes yn yr ysgol. Mae'n siŵr ei fod o wedi disgwyl i mi fynd yn swil i gyd a gwneud llanast go iawn o'r darlleniad. Ond roeddwn i'n benderfynol o ddangos iddo fo fy mod i cystal ag unrhyw un o'r lleill, os nad gwell. Felly dyma fi'n ei chychwyn hi:

'Fe sefi di, Riannon, o hyd ar dy esgynfaen,
A gwaed yr ellast a'i chenawon ar dy wyneb a'th wallt . . .'

Hyd yn oed os ydw i'n dweud hynny fy hun, mi gefais i hwyl ar bethau. Cystal hwyl fel bod ceg yr Ap ar agor fel tasa fo'n trio dal homar o bry.

'Ydach chi wedi gweld y gerdd yna yn rhywle o'r blaen?' gofynnodd yr Ap o'r diwedd.

'Naddo,' medda finna, yn gwbl onest. A doeddwn i ddim, chwaith. A tasa fo wedi gofyn i mi ar y pryd beth oedd 'esgynfaen' mi faswn i wedi mynd i'r pot yn lân. Taid eglurodd i mi wedyn mai blocyn o garreg oedd esgynfaen lle'r oedd pobol yn gallu rhoi troed arni i godi ar gefn ceffyl fel arfer; ond yn yr achos yma, wrth gwrs, ar gefn Rhiannon druan roedden nhw'n teithio i'r llys.

Roedd Taid Arwelfa'n dipyn o adroddwr yn ei ddydd. Ennill medalau mewn eisteddfodau. Ac roedd o'n gwybod cryn dipyn am feirdd a barddoniaeth. A fo ddywedodd wrtha i unwaith nad oedd raid ofni unrhyw ddarn darllen.

'Digon o bwyll. Dyna'r gyfrinach, ti'n gweld. Peidio'i rhuthro hi. A chofia mai dweud stori wrthyn nhw wyt ti.'

Cyngor da. Stori Rhiannon oedd yn y gerdd. Ac os nad oeddwn i wedi gweld y darn hwnnw o farddoniaeth o'r blaen, roeddwn i wedi clywed am Gwenallt, diolch i Taid. Mi deimlais i'n reit glyfar y diwrnod hwnnw. Cystal â'r gweddill. Tynnu'r gwynt o'u hwyliau nhw. Fel heddiw 'ma.

Heddiw. Heddiw oedd yn llusgo. Methu aros i gyrraedd adra a newid o fy ngwisg ysgol er mwyn cael mynd i weld Gwil. Mam wedi gwneud te – brechdan jam a theisen. Fedrwn i fwyta dim. Cwlwm yn fy stumog i. Ond chwarae teg i Mam. Dyna'i ffordd hi o fod yn gefnogol. Doedd Dad ddim o gwmpas. Dyna pam, mae'n debyg. Car y gweinidog tu allan i'r tŷ am bump. Y Parch a Mrs Wynne hefo'i gilydd. Finna'n sleifio i feddalwch sedd gefn ledr yr Austin Cambridge. Eistedd yn ôl a phwced feddal y sedd yn cau amdanaf fi. Ddim yn gwybod beth i'w ddweud a'r sgwrs yn mynd yn hesb. Gweld Bangor yn bell.

Mynd i mewn trwy ddrysau ysbyty'r C & A. Y 'Caernarfon and Anglesey'. Yr un arogleuon antiseptig. Yr un coridorau llwm. Yr un teimlad o gerdded i mewn i garchar. Yr un teimladau â phan ddaethon ni yma i weld Taid. Dwi'n dod i'r lle 'ma'n rhy aml yn ddiweddar!

Mi oeddwn i'n nerfus cyn gweld Gwil. Yn teimlo'n od o swil. Roedd o yn y gwely wrth y ffenest. Hen ddynion 'run fath â Taid oedd y rhan fwyaf ohonyn nhw ar y ward. Ond roedd Gwil yn eistedd yn ei gadair yn darllen ac yn edrych yn eitha normal, dim ond ei fod o dipyn yn llwydaidd ei wedd. Mi wenodd fel giât pan welodd o ni. Doeddwn i ddim yn siŵr a ddylwn i roi sws iddo fo yng ngwydd â'i rieni, felly mi wnes i gyffwrdd ei fraich o fel rhyw fodryb glên. Mi ddalltodd Gwil hefyd, achos mi roddodd winc ddireidus arna i pan drodd ei fam a'i dad i gyfarch yr hen fachgen yn y gwely nesa!

'Ew, mi roist ti fraw i mi!' medda fi wrtho fo. 'Mi o'n i'n disgwyl dy weld ti'n fflatnar yn y gwely 'na!'

'Ffŵl Ebrill!' medda Gwil.

'Rhy hwyr!' medda finna'n ôl. 'Mae hi wedi chwech rŵan. Dydi o ddim yn gweithio ar ôl hanner dydd. Ond cofia, mi oeddwn i'n meddwl mai dyna oedd Eryl yn ei wneud i mi bore 'ma pan ffoniodd dy fam!'

54

Doedd dim rhaid i mi ofni ynglŷn â sôn am y streic lwgu a'r brotest yn erbyn Carlo'n dod i goleg Aber. Roedd Mr a Mrs Wynne yn gwybod y cyfan. A doedden nhw ddim yn flin hefo Gwil chwaith! Mi fasa Dad wedi fy lladd i am wneud yr un peth (hyd yn oed pe bawn i mewn gwely ysbyty ar y pryd!).

Gwil yn dweud ei fod o'n cael dod adra fory. Adra i Sir Fôn am dipyn, nid adra i'w lety. Mae o'n cael ychydig ddyddiau o seibiant o'r coleg i ddod ato'i hun. A dw inna ar ben fy nigon oherwydd hynny, wrth gwrs. Mae rhyw dda yn dod o bob drwg, yn does?

Teimlo'n fwy ymlaciol ar y ffordd yn ôl yng nghar Mr a Mrs Wynne. Maen nhw'n fwy o gesys nag oeddwn i'n ei feddwl, a dweud y gwir. Wel, mae hi wedi bod yn ddiwrnod hir. Dwi'n mynd i fy ngwely ar ôl gorffen sgwennu hwn. Ond cyn gorffen dwi'n mynd i ychwanegu geiriau Dafydd Iwan er mwyn dallt yn iawn. Dallt Gwil. Dallt y frwydr.

Os ydym am lwyddo, rhaid wrth ymgysegriad llwyr i achos Cymru; ni thâl agwedd "diletantaidd" ddim, mwy nag ym maes celfyddyd. Ac wrth edrych ymlaen, rhaid inni bwyso'n drwm ar ein gorffennol, ac uwchlaw popeth, ar y gwerthoedd hynny a amlygwyd ym mywyd Crist. Dylai brwydr Cymru fod yn rhan o'n Cristnogaeth ymarferol ninnau, fel yr oedd eu brwydrau hwy i Martin Luther King a Gandhi. Os yw Cristnogaeth yn golygu unrhyw beth, golyga greu cymdeithas iach, cymdeithas lawn a chymdeithas lawen. Yng Nghymru ni ellir hynny oni fydd hi hefyd yn gymdeithas Gymraeg ei hiaith.

Dafydd Iwan, *Barn*, Mawrth 1969

Mi bicia i draw i Arwelfa eto fory. Mae hi'n hen bryd i Taid a minna roi'r byd yn ei le, dwi'n meddwl!

Dydd Mercher, Ebrill 2

Mam a Nain wedi mynd i Gaer hefo Bws Carreglefn. Trip siopa. Y ddwy wedi codi ymhell cyn i gŵn y ddinas honno godi hefyd! Mae Dad yn gweithio shifft chwech tan ddau, felly dim ond Eryl a fi sydd yn y tŷ. Mae hi'n wyth o'r gloch y bore arna i'n sgwennu hwn. Mae gen i ffansi peidio mynd i'r ysgol heddiw. Does 'na ddim gwersi Cymraeg ar ddydd Iau chwaith, dim ond Saesneg a Ffrangeg. Mae'r boi Saesneg yn iawn. Diflas ond clên. Ond am Ffrangeg, wn i ddim beth ddaeth drosta i i ddewis hwnnw fel pwnc lefel A. Wel, ar wahân i'r ffaith fy mod i wedi cael gradd A yn yr arholiad lefel 'O', a bod Dad wedi cymryd yn ei ben mai iaith dramor fyddai'r ffordd o fynd ymlaen yn y byd. 'Lle'r eith Cymraeg â chdi?' medda fo. 'Cyn belled â Phont Borth, dyna i ti lle!' Ond mi fynnais gael fy ffordd. Mae Dad yn gallu bod yn golbar dwl weithiau. Mae o a Ffred Ffrensh yn frawychus o debyg. Gwybod pob dim yn well na phawb arall. Hwnnw'n rêl snych yn y wers Ffrangeg ddoe: 'Pawb wedi bod ar wyliau yn Ffrainc llynedd yn ystod yr haf, dwi'n deall? Da iawn chi wir. Mi helpith hynny eich Ffrangeg chi. O, pawb ond chi, ia, Sara? Diar, diar, be wnawn ni hefo chi, dwch? Mi fydd raid i chi drio'n galetach fyth i ddal i fyny rŵan felly, bydd?' Gwneud i mi deimlo fel pishyn chwech.

Na, dwi am gogio fod gen i gur yn fy mhen heddiw. Mi a' i draw i weld Taid am sgwrs. Ac mae Gwil yn dod adra pnawn 'ma.

Nos Fercher

Doedd Eryl ddim yn credu am funud fy mod i'n sâl ond, chwarae teg iddo fo, wnaeth o ddim lol, dim ond gofyn i mi ei gefnogi yntau pan oedd o'n penderfynu gwneud yr un peth rhyw ddiwrnod. Dim problem, medda finna, ac mi aeth Eryl i'r ysgol dan gynllwynio'n braf pa salwch fyddai orau i'w gael ar ddiwrnod ei brawf Mathemateg nesaf.

Roedd 'na ryw flerwch braf yng nghegin Arwelfa yn

absenoldeb Nain. Taid yn gadael llwyau te ym mhobman wrth wneud panad i ni, a briwsion ei frechdan driog yn dal ar ganol y bwrdd ers amser brecwast. Mi fuon ni'n trafod yr hyn ddywedodd Dafydd Iwan yn *Barn*. Ac yn sydyn, dyma Taid yn dweud:

'Sara, dwi wedi gwneud penderfyniad pwysig.'

Roedd golwg ddifrifol arno fo.

'Chdi ydi'r unig un yn y teulu 'ma fydd yn dallt,' medda fo wedyn.

'Be, Taid?' Roeddwn i'n nerfus ac yn gyffrous ar yr un pryd. Pan siaradodd Taid wedyn, roedd o bron yn sibrwd:

'Dwi'n mynd i wneud protest!'

'Be? Sut fath o brotest?'

'Dwi'n mynd i wrthod arddangos disg treth ar y car!'

'Taid!' Roeddwn i'n teimlo fy llygaid yn agor yn grwn mewn edmygedd – a sioc! 'Ond be ddeudith Nain!'

'Yn bwysicach na hynny, be ddeudith dy dad?' meddai Taid yn dawel. 'Mi fydda i'n torri'r gyfraith, ti'n gweld.'

Roeddwn i eisoes yn gyfarwydd â'r ffaith y byddai brwydr ynglŷn â disgiau treth. Doedd Mr a Mrs Wynne ddim yn bwriadu arddangos eu disg treth oherwydd ei fod o'n uniaith Saesneg. Roedd Gwil wedi esbonio y byddai hyn yn ymgyrch gan Gymdeithas yr Iaith, ond roedden nhw'n rhoi cyfle i bobol roi eu henwau ar y rhestr o gefnogwyr a dechrau gweithredu wedyn hefo'i gilydd er mwyn i'r Llywodraeth gael cyfle i ymateb.

'Ti'n gweld,' meddai Gwil, 'mae'r Llywodraeth wedi dweud na fydd disgiau treth car byth yn cael eu darparu yn Gymraeg nac yn ddwyieithog chwaith. Ond rŵan mae 'na griw o bobol *barchus*,' gwenodd yn ddireidus wrth ddweud y gair hwn, 'yn ogystal â stiwdants gwallgo 'fath â fi yn barod i sefyll dros hawliau'r Gymraeg ar y mater.'

'Fel pwy?'

'Athrawon, awduron, beirdd, o, a gweinidogion, wrth gwrs! Mae'r rheiny ar flaen y gad hefo pob dim!'

Felly pan soniodd Taid am ei awydd i brotestio, mi wyddwn inna beth oedd ganddo mewn golwg. Ac roedd hi'n weddol amlwg hefyd, yn doedd, pwy oedd wedi rhoi'r syniad yn ei ben o!

'Pwy ddaru'ch perswadio chi, Taid? Tad Gwil, mae'n siŵr!'

Er fy mod i'n edmygu safiad Taid, ac yn gwybod ers sbelan beth oedd ei ddaliadau yn y dirgel, eto i gyd mi oedd gen i ofn. Ofn beth fyddai gan Dad, a Nain – a gweddill pobol y pentref mewn gwirionedd – i'w ddweud. Wedi'r cwbwl, roedd hi'n iawn i'r Parchedig a Mrs Wynne fod yn genedlaetholwyr, yn 'Welsh Nash'. Roedd pobol yn disgwyl iddyn nhw ymateb felly.

'Doedd 'na fawr o waith perswadio arna i,' meddai Taid. 'Dwi'n digwydd meddwl mai dyma'r peth iawn i'w wneud.' Winciodd yn gynllwyngar arna i ac ychwanegu:

'Dydi'r gweithredu go iawn ddim i fod i ddechrau tan fis Medi. Casglu enwau maen nhw rŵan, ti'n gweld.'

'Mi ydach chi reit benboeth yn ddistaw bach, yn dydach, Taid?'

'Yn ddistaw bach,' cytunodd, ac mi faswn i wedi taeru i mi weld rhyw fymryn o dristwch yn ei wên. Roedd o'n mynd i oed ac ofn pechu ei deulu, ac eto roedd yna dân yn ei fol dros bethau. Edrychais arno a gweld am unwaith rywun amgenach na dim ond Taid Arwelfa. Tad fy mam. Gŵr Nain. Pe bai o'n ifanc heddiw fel Gwil mi fyddai allan hefo'r hogia'n peintio'r byd yn wyrdd. O, byddai. Doedd gen i ddim amheuaeth o hynny bellach!

'Wel, tyrd yn dy flaen ta!' meddai'n sydyn.

'Be dach chi'n feddwl?'

'Y llythyr 'ma, te. Yn dweud fy mod i'n dymuno ychwanegu fy enw at y rhestr. Wyt ti am fy helpu fi i fynd drwy'r datganiad 'ma a gwneud rhyw lun o lythyr i fynd hefo fo?'

Edrychais yn syn ar y darn papur yn llaw Taid. Dyma oedd yn y datganiad:

Ni fyddaf, o'r Cyntaf o Fedi, 1969, ymlaen yn arddangos disg treth ar fy nghar hyd nes y bydd y disgiau hyn yn cael eu rhoi allan i bob modurwr yng Nghymru yn ddiwahân, a hynny o dan yr un amodau ag y rhoir rhai uniaith Saesneg yn Lloegr.

Nid arddangosaf unrhyw ddisg newydd ychwaith oni fydd y Gymraeg arni o leiaf yn gydradd â'r Saesneg o ran lleoliad ac amlygrwydd.

Nid atebaf unrhyw wŷs i lys barn ynglŷn â'r drosedd hon os na fydd y wŷs yn ddwyieithog, a hynny heb imi ofyn ymhellach am hynny.

Ni thalaf unrhyw ddirwy am y drosedd hon.

Fedrwn i ddim credu bod fy nhaid i fy hun mor barod i dorri'r gyfraith, ac eto roedd rhyw gyffro rhyfedd yn pigo 'nghorff i gyd. *Ni thalaf unrhyw ddirwy am y drosedd hon!* Arwyddodd Taid y datganiad mewn ffownten pen a chyfeiriais innau'r amlen mor daclus ag y gallwn, o ystyried pa mor grynedig oedd fy llaw, at Y Prifathro R. Tudur Jones, Coleg Bala Bangor, Bangor. Teimlais wefr o feddwl fod gen inna fy rhan hefyd rŵan yn y brotest hon!

O. N. Gwyliau'r Pasg yn dechra fory!

Dydd Sadwrn, Ebrill 5

Y tywydd mor braf. Gwil a fi (a Ned!) yn mynd am dro i lan y môr. Roedd Ned yn chwythu ac yn tuchan, felly mi eisteddon ni ar boncan a drachtio'r olygfa er mwyn rhoi esgus iddo fo orffwys.

61

'Faint ydi ei oed o?' medda fi wrth Gwil, oherwydd ei fod o'n llafurio cymaint wrth gerdded a hefyd am nad oeddwn i'n cofio'r Mans heb Ned. Roedd hi fel pe bai o wedi bod yno erioed, yn rhan o'r lle – fel y gerddi hir a'r goeden geirios yn y cefn.

'Saith,' meddai Gwil, 'ond mae hynny'n bur hen i gi 'run fath â hwn, cofia. Creadur. Un go ddiog fuo fo erioed, sti, felly paid â phoeni gormod am ei fod o'n chwythu'n galed a'i dafod o'n hongian allan! Roedd o felly pan nad oedd o ond chydig dros ei flwydd!'

'Mae o'n wahanol iawn i ti, felly!'

'Ydi, gobeithio! Mi faswn i'n dechra poeni taswn i'n cerdded o gwmpas yn glafoerio fel'na!'

'Na, nid hynny siŵr! Trio dweud ydw i nad wyt ti ddim yn ddiog!'

'O, wela i!'

'Ac nid dy waith coleg di'n unig dwi'n ei olygu chwaith. Ond dy weithgarwch di dros yr iaith. Dy ymroddiad di. Mi fasat ti wedi gallu marw oherwydd y clefyd siwgwr 'ma. Mynd i goma a . . .'

'Ond wnes i ddim, naddo? Dwi yma i gwffio o hyd!'

Edrychodd Gwil yn ddireidus arna i cyn fy nhynnu i'w freichiau. Roedd ei gusan yn hir ac yn gynnes ac roeddwn i am iddi bara am byth. Wrth i ni gerdded yn ôl i'r Mans, law yn llaw, teimlais fod rhywbeth wedi newid rhyngon ni, ond newid er gwell oedd o. Mi oedd hi fel pe bai pethau wedi cryfhau, wedi aeddfedu. Fel pe baen ni'n deall ein gilydd yn well a bod y cwlwm rhyngon ni'n dynnach. Roedd 'na de a brechdan jam a theisen pan gyrhaeddon ni, ac er ei fod o mor hyfryd, a bod Mr a Mrs Wynne mor glên, roeddwn i isio iddyn nhw ddiflannu am dipyn er mwyn i mi gael Gwil i mi fy hun. Chwarae teg i Mrs Wynne hefyd – roedd hi fel pe bai hi wedi sylweddoli hynny ymhen ychydig.

'Pam nad ewch chi'ch dau drwodd i'r parlwr bach, er mwyn i chi gael llonydd hefo'ch gilydd am dipyn?' holodd.

Mi ges i bwl bach o euogrwydd. Roedd hi fel pe bai hi wedi darllen fy meddwl i. Dwi'n siŵr fy mod i wedi gwrido!

Roedd yr haul wedi bod yn tywynnu ar ffenest y parlwr bach ac roedd hi'n gynnes yno. Dodrefn trymion hen ffasiwn oedd yn y Mans o hyd. Doedd mam Gwil yn amlwg ddim wedi gwirioni ar y pren golau ffasiwn newydd fel roedd Mam. Roedd y Mans yn debycach i Arwelfa, dim ond bod y stafelloedd yn fwy a'r nenfydau'n uwch. Ond roedd y parlwr bach yn fwy cartrefol, serch hynny. Yno roedd y piano, a gitâr Gwil a'r peiriant chwarae recordiau. Mi eisteddon ni ar yr hen soffa isel, braf a gwrando ar y record a roddodd Gwil ymlaen – Tony ac Aloma'n canu 'Mae Gen i Gariad'. A llifodd y teimladau cynhyrfus braf ges i ar lan y môr yn eu holau, a golchi drosta i fel tonnau.

Sul y Blodau. Mynd i'r capel yn y bore hefo Taid a rhoi daffodils o'r ardd ar fedd Anti Dora, chwaer Taid, cyn mynd i mewn. Roedd y blodau fel darnau bach o'r haul a'r gwlith yn dal arnyn nhw. Y capel yn oer a'r seddau'n sgleinio, ond roedd pobman yn llawn goleuni a finna'n teimlo'n siriol a 'nhu mewn i'n gynnes. Tad Gwil oedd yn pregethu. Roedd Gwil a'i fam yno. Mae Taid a fi'n eistedd yn y cefn bob amser, yn y 'seti ambarél', fel bydd o'n eu galw nhw. Dyna sy'n arbennig am Taid, mae ganddo fo eiriau ac ymadroddion da am y rhan fwyaf o bethau. Rhaid i mi gyfaddef na wnes i ddim gwrando rhyw lawer ar y bregeth, na Gwil chwaith, o ran hynny! Roedden ni'n dau'n rhy brysur yn gwneud llygaid llo bach ar ein gilydd. Neu dyna oedd Taid yn ei alw fo, beth bynnag!

'Ti am alw acw ar dy ffordd adra i weld dy nain cyn cinio?' medda fo ar ôl y bregeth. Finna wedi meddwl cael cyfle i siarad hefo Gwil, ond fedrwn i ddim gwrthod dim byd i Taid. Beth bynnag, roeddwn i wedi trefnu i weld Gwil yn nes ymlaen.

Roedd yn rhaid i mi aros am banad hefo Nain a darn o fara brith cartra 'i dy gadw di i fynd tan amser cinio!' Pan oedd hi'n amser i mi fynd adra mi ddechreuodd Taid ymddwyn dipyn yn od ac mi sylweddolais ei fod o'n trio fy nghael i ar fy mhen fy hun allan o glyw Nain.

'Tyrd hefo fi am funud i ti gael gweld hwn . . .'

'Chdi a dy lyfra barddoniaeth,' medda Nain. 'Mi fyddi di wedi difetha ll'gada'r hogan bach yn gneud iddi ddarllen yr holl hen betha 'ma mewn print mân!' Ac mi drodd ei sylw at foron oedd yn aros i gael eu plicio.

Mae hi'n arferiad gan Taid i roi hen lyfrau i mi, ac yn groes i'r hyn mae Nain yn ei ddweud, dwi wrth fy modd. Ganddo fo ges i fy nghopi o *Y Gwin a Cherddi Eraill* I. D. Hooson. Roedd o mor hen nes bod Taid wedi rhoi clawr arall o bapur llwyd amdano fo. Dwi wedi dysgu'r rhan fwyaf o'r cerddi ar fy nghof, ac mae gen i flaen ar Mei a'r lleill yn y dosbarth Cymraeg yn hynny o beth. Dwi ddim yn meddwl bod Rhian Fawr wedi clywed am y bardd I. D. Hooson, heb sôn am wybod llinellau o'i waith o. 'Y Pabi Coch' ydi fy ffefryn i:

> Mae gwlith y bore ar dy foch
> Yn ddafnau arian, flodyn coch,
> A haul Mehefin drwy'r prynhawn
> Yn bwrw'i aur i'th gwpan llawn.

Dydi Nain ddim yn gwybod be mae hi'n ei golli!

Beth bynnag, nid un o hen gyfrolau Taid ges i ganddo fo heddiw. Mi fu'n tyrchu o dan rhyw lyfrau yn y cwpwrdd. Doedd hwn ddim yn y golwg ar y silff, ond wedi ei gelcio'n ofalus o dan rhyw hen adroddiadau capel a thaflenni emynau ac ati. Llyfryn bach tenau ydi o, a chlawr papur gwyrdd amdano fo. Mae o wrth fy mhenelin i'r funud yma tra fy mod i'n sgwennu hwn. A be ydi o? Darlith radio a gyhoeddwyd saith mlynedd yn ôl yn 1962 o'r enw 'Tynged yr Iaith' gan Saunders Lewis.

'Darllen o'n ofalus,' meddai Taid â winc gynllwyngar arna i. 'Mi helpith i ti ddallt petha, yli. Ond faswn i ddim yn ei ddangos o i bawb, yntê!'

Dad oedd o'n feddwl – a Nain. A gweddill y teulu, debyg iawn. Ond roedd hi'n iawn i Gwil ei weld o, yn doedd? Methu aros i weld hwnnw pnawn 'ma i ddangos y llyfryn iddo fo. Cael peth siom wrth ddeall ei fod o wedi ei ddarllen yn barod! Finna isio ymddangos yn glyfar o'i flaen o a brolio fy narganfyddiad. Ond erbyn meddwl, os oedd y copi yma gan Taid, mi oedd o'n siŵr o fod ymhlith y dwsinau o lyfrau a chyfrolau oedd gan Mr Wynne yn llyfrgell y Mans, yn doedd? Mi wnes i deimlo'n reit falch o Taid ar y pryd hefyd am ei fod o'n darllen – ac yn dallt – yr un pethau â'r gweinidog. Ond gan fod Gwil yn gwybod am gynnwys y ddarlith, roedd o'n gallu dangos rhai pethau arbennig i mi, fel hanes Trefor ac Eileen Beasley. Mae gan Taid arferiad o gopïo dyfyniadau tu mewn i gloriau llyfrau ac ati. Mae hynny'n llesol i'w enaid o, medda fo. Felly, cyn i mi gadw'r dyddiadur 'ma heno, mi ydw innau'n mynd i ddyfynnu rhai o eiriau enwog Saunders Lewis am ddewrder anhygoel Mr a Mrs Beasley:

Glöwr yw Mr Beasley. Yn Ebrill 1952 prynodd ef a'i wraig fwthyn yn Llangennech gerllaw Llanelli, mewn ardal lle mae naw o bob deg o'i phoblogaeth yn Gymry Cymraeg. Yn y cyngor gwledig y perthyn Llangennech iddo y mae'r cynghorwyr i gyd yn Gymry Cymraeg: felly hefyd swyddogion y cyngor. Gan hynny, pan ddaeth papur hawlio'r dreth leol atynt oddi wrth The Rural District Council of Llanelly, anfonodd Mrs Beasley i ofyn am ei gael yn Gymraeg. Gwrthodwyd. Gwrthododd hithau dalu'r dreth nes ei gael. Gwysiwyd hi a Mr Beasley dros ddwsin o weithiau gerbron llys yr ustusiaid . . . Tair gwaith bu'r beilïod yn cludo dodrefn o'u tŷ nhw, a'r dodrefn yn werth llawer mwy na'r dreth a hawlid. Aeth hyn ymlaen am wyth mlynedd.

Wyth mlynedd! Faint o arian gostiodd hynny iddyn nhw fel teulu? Mae'r aberth yn anhygoel! A dyna pam oedd Taid am i mi ddarllen am hyn. Does dim rhaid i mi fod ofn Dad a does dim rhaid i Taid fod ofn Nain oherwydd y busnes disg treth car 'ma. Mae'n rhaid i ni ddangos ein hochr a hynny'n gadarn. Dwi wedi fy ysbrydoli. Dwi'n mynd i gysgu heno â geiriau Saunders Lewis yn canu yn fy mhen i:

Fe ellir achub y Gymraeg. Y mae Cymru Gymraeg eto'n rhan go helaeth o ddaear Cymru ac nid yw'r lleiafrif eto'n gwbl ddibwys. Dengys esiampl Mr a Mrs Beasley sut y dylid mynd ati.

Nid yw'r lleiafrif eto'n gwbl ddibwys. Tybed? Ni ydi'r lleiafrif, felly, ia? Pobol fel Taid a fi a Gwil a'i rieni? Ond mi ydan ni'n cyfri, tydan? Dyna mae Saunders yn ei ddweud. A ddylen ni ddim gorfod derbyn Sais o dywysog fel Tywysog Cymru. Sais hefo clustiau 'fath â dwy handlen jwg.

Petha rhyfedd ydi clustiau. Mae gan Gwil glustiau bach twt. Ac mae Ned yn lecio i chi gosi'i glustiau o. Dydi clustiau'r Ap ddim yn ffôl chwaith, er nad oes gen i ddim amynedd hefo hwnnw bellach. Ond ffaith ydi ffaith. Mae ganddo fo glustiau del.

Sut glustiau oedd gan Llywelyn Ein Llyw Olaf, tybed?

Dydd Llun, Ebrill 14

Wythnos brysur. Wedi bod yn ymarfer tuag at Eisteddfod yr Urdd er ei bod hi'n wyliau'r Pasg. Dwi wedi esgeuluso fy nyddiadur braidd, ond rhwng y llwyth gwaith cartref gawson ni dros y Pasg, ac ymarferion a phopeth, dwi wedi ymlâdd bob nos ac yn disgyn i 'ngwely heb wneud dim! Dwi yr un mor brysur â phe bawn i'n dal i fynd i'r ysgol! Ond dwi wedi gorffen fy nhraethawd Cymraeg i'r Ap erbyn hyn, felly mi ga i fwynhau gwneud dim am weddill y gwyliau. Mi wellith pethau yr wythnos yma rŵan.

Dydd Mawrth, Ebrill 15

Pam wnes i sgwennu peth mor wirion ddoe?! Pethau'n gwella, wir! Roeddwn i'n temtio ffawd, yn doeddwn? Fedra pethau ddim bod yn waeth. Mae Gwil wedi cael ei arestio!

Dydd Mercher, Ebrill 16

Dydi Dad ddim wedi cau ei geg ynglŷn â Gwil. Rydan ni wedi cael coblyn o ffrae. Dad yn dweud nad ydi o'n ddim byd ond fandal bach digywilydd, ac y dylai hogyn hefo rhieni fel sydd gynno fo fod yn gwybod yn well. Mam yn dweud dim, fel arfer, ac Eryl am unwaith, chwarae teg iddo fo, yn edrych yn gydymdeimladol arna i. Mi fasech chi'n meddwl mai fi fu allan hefo'r paent gwyrdd yn peintio arwyddion ffyrdd, ac nid Gwil. Ond pe bawn i'n gwybod ei fod o wrthi, a phe bai o wedi gofyn i mi, mi faswn innau wedi ymuno'n llawen yn y gwaith! Mi ddywedais i hynny wrth Dad hefyd ac mi aeth yn gwbwl wallgo! Honco bost, a dweud y gwir! A dyna pam rydw i wedi pacio fy mag ac yn aros yn llofft bach Arwelfa hefo Nain a Taid. Mi ges y croeso arferol wrth gwrs, dim ond bod Nain yn traethu rhyw fymryn ac yn amau doethineb gweithredu Gwil.

'Hidia di befo,' medda Taid, yn colli siwgwr dros y bwrdd i gyd. 'Yfa dy banad. Mi ddôn nhw i gyd at eu coed, gei di weld.'

'Nhw' oedd Mam a Dad. Roedd hi'n amlwg lle'r oedd teyrngarwch Taid yn hyn i gyd. Mi oedd golwg benderfynol yn ei lygaid o, rhyw wreichionyn nad oeddwn i wedi sylwi arno o'r blaen.

Am unwaith, ddywedodd Nain ddim byd.

Dydd Iau, Ebrill 17

'Ti'n iawn, Gwil?'

Roedd o'n welw. Mae Gwil bob amser yn welw ond heddiw edrychai ei wyneb yn feinach hefyd. Yn hŷn.

'Ydw, siort ora.' Roedd ei lygaid yn fflachio, cymysgedd o ddireidi a rhywbeth arall. Argyhoeddiad, efallai. Angerdd yn sicr. Doedd y profiad o gael ei lusgo'n ddiseremoni i fan yr heddlu ddim wedi diffodd y tân yn ei fol.

'Oedd gen ti ofn?'

Atebodd o ddim yn syth. Finna'n difaru fy mod i wedi gofyn hynny.

'Doedd o ddim yn beth braf,' meddai Gwil, 'ond roedd yn rhaid mynd drwy'r profiad, yn doedd?' Roedd ei hyder tawel bron â gwneud i mi wrido. Teimlwn mor ddiwerth ac ar yr un pryd mor falch ohono fo. Hwn oedd fy nghariad i! Fedrwn i ddim gweld Dewi ap Ifor yn peryglu'i ryddid fel'na.

'Ti'n arwr, Gwil!'

Gwenodd Gwil a disgynnodd cudyn o'i wallt ar draws

ei lygaid. Roedd o'n edrych mor ddiamddiffyn bryd hynny fel bod arna i awydd gafael amdano fo a'i gwtsho fo'n dynn.

'Doedd y sarjant yng ngorsaf yr heddlu ddim yn rhy ddrwg,' meddai Gwil wedyn. 'Dwi'n meddwl fod ganddo fo gydymdeimlad hefo ni a dweud y gwir. Mi oedd y cwbwl yn eitha gwaraidd.'

'Cydymdeimlad! Nid dyna fasa Dad yn ei deimlo!'

'Sgynno fo mo'r help, Sara. Dim ond gwneud ei waith mae o.'

'Gwneud ei waith oedd y sarjant 'na neithiwr hefyd, te, ond doedd o ddim yn ffiaidd hefo chi fel basa Dad wedi bod! Ma' gin i gywilydd ohono fo, Gwil!'

'Paid â dweud peth fel'na.'

Ond roedd o'n wir. A dwi'n dal i deimlo'r un fath heno wrth sgwennu hwn yn y llofft bach yn Arwelfa. Does gen i ddim awydd troi yn f'ôl am adra. Yr unig beth dwi'n hiraethu amdano fo ydi fy chwaraewr recordiau. A phe bawn i adra heno mi faswn i'n chwarae cân Dafydd Iwan, 'Wrth Feddwl Am Fy Nghymru' yn uchel dros y tŷ.

Dydd Sul, Ebrill 20

Yn ôl adra. Yr ysgol yn dechrau fory a fedrwn i ddim cuddio yn Arwelfa am byth. Dwi ddim wedi gweld rhyw lawer ar Dad. Doedd o ddim yma i ginio oherwydd ei fod o'n gweithio. Eryl yn trio'n rhy galed, ac yn rhy glên hefo fi fel pe bawn i'n gyfnither nad oedd o ddim wedi'i gweld ers amser maith. Dwi'n meddwl ei fod o'n dechrau callio wrth fynd yn hŷn. Doedd 'na ddim jôcs gwirion a doedd o ddim wedi bod yn fy stafell i'n busnesa ac yn rhoi pryfed cop yn fy ngwely i a ballu. Mam wedi rhoi dillad glân arno fo – y gwely, nid Eryl – a jygiad o flodau yn fy stafell i. Ei ffordd hi o ddweud bod pethau'n iawn. Mi fydda i'n mynd i gysgu heno a lluniau Twiggy a'r Beatles yn syllu i lawr arna i oddi ar y waliau yn hytrach na Siân Owen Ty'n y Fawnog yn y llun 'Salem' sy'n gweddu'n berffaith i bapur wal rhosynnog Nain yn llofft fach gefn Arwelfa!

Dydd Llun, Ebrill 21

Mis go lew i fynd tan Steddfod yr Urdd yn Aberystwyth. Gwil o'i go' bod y Tywysog Siarl wedi treulio tymor yn y coleg yn Aber. Ffars go iawn, medda fo. Dwi'n teimlo'n oer pan fydda i'n meddwl am Gwil yn ymprydio. Mi fasai wedi gallu marw a fasa hynny ddim wedi gwneud iot o wahaniaeth, na fasa?

Dydi bywyd ddim yn deg!

Dydd Mercher, Ebrill 23

Galw yn Arwelfa hefo Nain a Taid ar y ffordd adra o'r ysgol achos bod y teledu lliw newydd i fod i gyrraedd. Mae o'n goblyn o beth mawr ac yn llenwi'r gornel i'r ymylon. Doedd 'na ddim llun arno fo pan gyrhaeddais i, dim ond rhesi du a gwyn yn igam-ogamu ar draws y sgrin a sŵn ffrio mawr.

'Be sy, Taid? Methu cael llun dach chi?'

'Heb roi'r erial yn y lle iawn mae o,' medda Nain o'r gegin, 'ond waeth i mi heb â thrio deud wrtho fo!'

'Wn i ddim i be oedd isio'r horwth peth yn y lle cynta!' medda Taid. 'Ac mae o'n costio mwy i mi rŵan i gael trwydded. Fel tasa chwe phunt ddim yn ddigon drud. Mae isio pum punt arall ar ei ben o rŵan, yn does? Y pris wedi dyblu bron, ac ar ôl hyn i gyd dim ond ar BBC 2 mae'r llun mewn lliw!'

Mi oeddwn innau'n eitha siomedig o glywed hynny, rhaid i mi ddweud.

'Dim iws i mi ddod draw i weld *Top of the Pops* felly, ta,' medda fi.

'Top of ddy be?'

'Dal o yn fan'na!' medda Nain. 'Ti wedi cael llun rŵan!'

Mi oedd o hefyd, chwarae teg. Safodd Nain a finna'n syn yn gwylio dyn mewn dillad duon yn neidio o hofrennydd i afon fyrlymus ac wedyn yn crafangu i ben clogwyn ac yn gwneud hyn i gyd o fewn eiliadau. Y peth nesa, roedd o'n dringo landar ac yn mynd i mewn drwy'r ffenest i stafell wely merch dim ond er mwyn gadael bocs o siocledi ar y bwrdd wrth y gwely. '*And all because the lady loves Milk Tray*,' meddai llais melfedaidd o grombil y teledu newydd.

'Ew, da, te?' medda Nain. 'Y dyn Milk Tray 'na.'

'Faint callach dach chi o gael teledu lliw dim ond i weld dyn mewn dillad duon, dwch?' Gollyngodd Taid yr erial a diflannodd arwr hysbyseb Cadbury's dan gawod o eira.

'Yli be ti 'di'i neud rŵan!' medda Nain. 'O, be rown i am ddyn fath â hwnna sy'n dod â Milk Tray i bobol, wir!'

'Camp i chi gael hwnnw i sefyll yn fa'ma fath â bwgan brain a'i fraich o'n dechra cyffio!' medda Taid yn bigog.

Roeddwn i wedi meddwl gofyn iddo fo sut fyddai o'n

teimlo ynglŷn â phrotestio ar gownt y drwydded deledu –
o safbwynt y Gymraeg, wrth gwrs, nid o safbwynt y pris
– ond penderfynais ei gadael hi am y tro. Mae hwyliau
Taid yn dibynnu i raddau helaeth iawn ar pa mor hawdd
(neu anodd!) ei thrin ydi Nain!

Dydd Sadwrn, Mai 3

Mynd i Fangor ar y bws hefo Bethan. Honno isio pâr o
fŵts uchel sgleiniog fel rhai Cathy McGowan ar y
rhaglen *Ready, Steady, Go.*

'Chei di mohonyn nhw ym Mangor,' medda fi. 'Carnaby
Street a rhyw lefydd felly sy'n gwerthu petha fel'na.'

'Paid â bod yn wirion!' medda Bethan. 'Ma'r Heather
Jones 'na sy'n canu hefo Bara Menyn yn eu gwisgo nhw.'

'Go brin mai ym Mangor y cafodd hi nhw.'

'Paid â bod yn ddiflas. Tyrd hefo fi. Ma' gin i isio torri
'ngwallt hefyd. Dwi am gael y steil "bob" ffasiwn
newydd 'ma.'

Mae Bethan wedi rhoi'r gorau i'r ysgol erbyn hyn. Rhy
ddiflas, medda hi, ond cael trafferth efo'r gwaith oedd hi,
go iawn. Bechod hefyd. Mae Bethan yn gês y rhan fwyaf
o'r amser ac mae hi'n ddigon diflas hebddi hi. Yr hyn
sy'n boen ydi ei bod hi'n ennill cyflog rŵan tra dwi'n dal

yn yr ysgol ac yn dibynnu ar Mam a Dad (a Taid Arwelfa!) am bres poced. Dyna'r unig beth sy'n gwneud i mi genfigennu wrthi hefyd. Faswn i ddim yn ffeirio lle hefo hi am bris yn y byd. Yn gorfod byw hefo'r hen Owie wirion 'na. Ac mae'n well gen i fod yn yr ysgol nag yn gweithio yn siop Cemist. Mi fasa gen i ofn cymysgu presgripsions pobol a'u lladd nhw. Mae hi'n syndod nad ydi Bethan wedi gwneud rhywbeth felly erbyn hyn. Mae hi'n gorfod aros ar ôl bob nos Iau i sortio tabledi. Y cyfan fedra i ei ddweud am hynny ydi gobeithio na fydda i'n ddigon anffodus i fynd yn sâl pan fydd Bethan yn gyfrifol am y tabledi!

Mae 'nhraed i'n brifo heno 'ma ar ôl trampio Bangor drwy'r dydd. Chafodd Bethan mo'i bŵts yn y diwedd. Mi ddaliais fy nhafod rhag dweud: 'Ddudish i, yn do?' Ond mi gafodd dorri'i gwallt yn ddigon del ac mi ges inna ista'n darllen cylchgronau drud am ddim tra oeddwn i'n disgwyl amdani.

Gwil wedi mynd adra i gartref Cochyn dros y penwythnos, felly mae'n rhaid i mi fyw hebddo fo am dipyn. Dwi ddim yn poeni cyn belled â'i fod o'n ffyddlon ac yn meddwl amdana i.

'Fasa Mam byth yn trystio Yncl Owie tasa fo'n mynd i ffwrdd i fwrw'r Sul hebddi hi,' medda Bethan yn slei.

'Wel, nid Gwil ydi dy Yncl Owie di, naci, Bethan?' medda finna'n reit siort.

A dweud y gwir, wn i ddim pam dwi'n rhoi lle iddi o gwbwl o achos nad oes 'na ddim dau dan wyneb haul llygad goleuni sy mor annhebyg i'w gilydd â Gwil Gweinidog ac Yncl Owie Bethan! Cenfigen ydi o i gyd am nad oes ganddi hi neb rŵan. Mi fu hi'n poitsio hefo rhyw foi oedd yn gweithio yn yr Wylfa. Pharodd pethau ddim. Mi aeth o hefo hogan arall tra oedd o'n dal i'w chanlyn hi.

'Gwynt teg ar ei ôl o. Sglyfath!' medda Bethan ar y pryd, a chwarae teg, chollodd hi'r un deigryn ar ei gownt o chwaith. 'Wna i byth fynd allan hefo Sais eto!'

Mae rhyw dda'n dod o bob drwg, yn does?

Dydd Mawrth, Mai 6

Wedi cael gwybod lle byddan ni'n aros yn ystod Steddfod yr Urdd. Bow Street. Y pentref agosaf i Aber, medda Gwil. Mi fydd o a'i rieni'n aros hefo chwaer ei fam yn Llanbadarn Fawr. Biti na fasa Gwil yn cael bod yn yr un lle â fi. Ond rhaid bodloni ar gwmni Linda a Rhian Fawr! Mae'r ddwy'n dipyn o fêts, felly fydd dim rhaid i mi boeni am rannu stafell hefo'r un o'r ddwy. Diolch byth y bydd Gwil o gwmpas yn ystod y dydd neu mi faswn i'n teimlo braidd yn unig.

Dydd Sul, Mai 11

Sul y Mamau. Gwil adra'n gweld ei fam. Mi gawson ni gyfle i weld ein gilydd am ychydig pnawn 'ma cyn i'w dad fynd â fo'n ôl i Fangor. Nain a Taid yn dod am ginio Sul a finna'n chwysu chwartiau am fod yna le gwag ar windsgrin car Taid lle'r oedd y disg treth i fod! Dim ond fi sylwodd, dwi'n meddwl. Fasa'r peth ddim wedi croesi meddwl Nain, a chan mai fi wnaeth eu danfon at y car pan oedden nhw'n ei throi hi am adra, chafodd Dad ddim cyfle i sylwi chwaith. Chwarae teg i Taid yn gwneud ei safiad. Fo sy'n iawn. Dwi'n ofnadwy o nerfus rhag ofn i Dad ddod i wybod, ond fedar Taid ddim dreifio o gwmpas hefo blanced dros ei ffenest flaen, na fedar? Mae'r peth yn sicr o ddod i'r amlwg yn ystod y dyddiau nesa 'ma. Be ddigwyddith wedyn?

Mi faswn i'n lecio meddwl, pe bai gen i gar, y byddwn i cyn ddewred â Taid. Tybed?

Dydd Mercher, Mai 28

Cychwyn am y Steddfod fory. Fedra i ddim credu bod yr amser wedi hedfan mor gyflym!

Wedi cyrraedd Bow Street. Am siwrnai erchyll! Linda'n chwydu ar y bws jyst cyn i ni gyrraedd Bryncir.

'Ych!' medda Rhian Fawr. 'Fedra i ddim byta fy mrechdan rŵan!'

'Y troeadau 'ma 'di'r drwg!' cwynodd Linda. 'Pryd mae'r lôn yn mynd i wella?'

Doedd gan neb galon i ddweud wrthi mai lôn felly oedd hi'r holl ffordd i Aberystwyth. Trio cysgu a methu. Rhyddhad pan gyrhaeddon ni o'r diwedd. Mae'r tŷ lle dwi a Rhian a Linda'n aros reit ar ochor y lôn. Mae Rhian a Linda'n rhannu stafell, wrth gwrs, ond och a siom! Mae'n rhaid i minna rannu hefyd! Dydi hynny ddim yn beth braf, rhannu hefo rhywun hollol ddiarth. Eirlys ydi'i henw hi, o ochrau Rhuthun. Mae hi'n dawel. Wel, swil a dweud y gwir. Mae hi yn ei gwely'n barod â'i thrwyn at y pared. Trio sgwennu hwn ar frys er mwyn diffodd y golau rhag ei styrbio hi. Y gwely'n gul a chaled ac ogla lafant arno fo, ond mi fydda i'n falch o fynd i mewn iddo fo. Wedi blino digon i gysgu ar lein ddillad!

O.N. Gobeithio nad ydi Eirlys ddim yn chwyrnu!

Rhagbrawf am hanner awr wedi wyth y bore 'ma. I fod! Roedd hi bron yn hanner awr wedi naw pan aethon ni i mewn! Roedden ni i gyd yn flinedig braidd a doedd hi'n ddim syndod bod ein lleisiau ni wedi mynd braidd yn fflat. Llai o syndod fyth na chawson ni ddim llwyfan! Ond doedd hynny ddim yn ormod o boen arnon ni. Roedden ni wedi cael dod i Aber i'r eisteddfod, yn doedden, a dydan ni ddim yn gorfod mynd adra tan fory.

Mae heddiw wedi bod yn ddiwrnod rhyfeddol. Aethon ni i seremoni'r Cadeirio yn y pnawn. Mi ges i gyfle i ddianc oddi wrth y genod a mynd i eistedd hefo Gwil. Roedd ganddo ddiddordeb anghyffredin yn y gystadleuaeth. Dwi'n meddwl ei fod o wedi anfon rhywbeth i mewn. Ond os ddaru o, dydi o ddim yn cyfaddef! Casgliad o gerddi ar y thema 'Cymru Heddiw' oedd y testun. Mi ddaeth y beirniad, T. Llew Jones, i'r llwyfan i draddodi'r feirniadaeth. Ew, mae ganddo fo lais bendigedig! Mi faswn i wedi medru gwrando arno fo drwy'r dydd. Roedd hi'n feirniadaeth wych, a phan glywais i'r geiriau: 'Ni fu nemawr erioed fwy o deilyngdod' mi aeth ias drwydda i. Mi droeson ni i gyd i weld pwy oedd wedi codi ar ei draed ac mi glywais i Linda, oedd yn eistedd tu ôl i ni, yn sibrwd yn uchel yng nghlust Rhian Fawr: 'Ew, yli, mae o'n beth del hefyd!'

Welais i mohono fo'n iawn nes iddo gamu o'r gynulleidfa. Roedd Linda yn llygad ei lle. Roedd o'n ŵr ifanc golygus, ac er nad oedd o ddim yn dal, roedd ganddo bresenoldeb, rhyw urddas tawel oedd yn ei godi uwchlaw pawb. Ac roedd o wedi gwisgo'n hynod o smart mewn siwt a choler a thei. Hwn oedd o, felly, y bardd ifanc a ganodd mor onest ac angerddol am gyflwr Cymru heddiw. Fedrwn i ddim tynnu fy llygaid oddi ar ei wyneb o pan gyrhaeddodd y llwyfan – yr olwg bell, freuddwydiol 'na yn ei lygaid gleision o, gwefusau synhwyrus, cnwd o wallt coch, tonnog – a sylweddoli gyda phwl o euogrwydd na fyddai rhuthro i 'nghlymu fy hun wrth Gwil am weddill f'oes yn beth cwbwl ddoeth i'w wneud wedi'r cyfan! Cyhoeddwyd mai enw'r bardd buddugol oedd Gerallt Lloyd Owen o'r Sarnau ger y Bala.

Ddiwedd y pnawn mi aethon ni i gyfarfod rhieni Gwil, ac erbyn hynny roedd Mr Wynne wedi cael gafael ar gopi o gerddi'r Gadair. Llyfryn bach meddal oedd o, a chlawr oren a gwyn digon diymhongar arno fo. Ond roedd hi'n amlwg nad felly'r cynnwys.

'Mae'r cerddi 'ma'n wefreiddiol,' medda tad Gwil. 'Mae'r hogyn 'ma wedi teimlo i'r byw. Mae'r holl densiynau rydan ni'n gorfod byw drwyddyn nhw heddiw'n cyrraedd uchafbwynt yn fan hyn.' Cliriodd ei wddw. Roedd o dan deimlad, ac yn amlwg yn meddwl am Gwil a allai fod yn wynebu carchar dros yr iaith. 'Dylid gorfodi pob Cymro i ddarllen rhain ac i chwilio'i gydwybod wedyn!'

Meddyliais am Dad, a chywilyddio. Gwenodd mam Gwil arna i fel pe bai hi'n ymwybodol o'm anghysur i.

'Ylwch, awn ni i'r dre i chwilio am banad,' medda Mrs Wynne a chydio yn fy mraich i.

'Siort ora,' meddai tad Gwil ac edrych arna i'n hir. 'Sara, dwi am i chi gael y copi yma.'

'Ond . . .'

'Mi brynais i ddau gopi. Ewch â fo, a chofiwch roi cyfle i'ch taid bori drwyddo fo.'

Chwarae teg iddo fo. Dwi'n gwybod y bydd Taid yn gwirioni. Biti na fasa fo wedi medru bod yma heddiw. Unwaith y ceith o ei facha ar y casgliad yma, mi fydd hi wedi canu arna i, felly dwi'n meddwl yr a' i i chwilio am gopi arall iddo fo fory. Fi sy'n pori drwy'r cerddi heno. Dwi wedi cael y stafell i mi fy hun, drwy lwc, oherwydd bod Eirlys wedi'i throi hi am adra. Mae hi'n braf cael peidio gorfod poeni am ddiffodd y golau wrth ymyl y gwely rhag i mi darfu ar neb arall. Dwi'n darllen, darllen nes bod fy llygaid i'n drwm. Nes bod y geiriau'n nofio dros wyneb fy nghof. Dwi'n llithro i drwmgwsg drwy hel meddyliau am Lywelyn, Glyndŵr, ffrwst byddinoedd a baneri'n chwifio. Dwi'n breuddwydio am dywysogion

Cymru gynt ac mae ganddyn nhw i gyd walltiau tonnog, coch a her yn eu llygaid gleision . . .

> Fy ngwlad, fy ngwlad, cei fy nghledd
> Yn wridog dros d'anrhydedd.
> O, gallwn, gallwn golli
> Y gwaed hwn o'th blegid di.

Dydd Sadwrn, Mai 31

Mi fydd heddiw wedi ei serio ar fy meddwl i. Mae hi'n ddau o'r gloch y bore a dwi'n effro o hyd. Dim ond y fi sydd ar ôl yn nhŷ Mrs Jones yn Bow Street. Aeth Linda a Rhian yn eu holau bore 'ma hefo'r bws ond mi drefnais i aros ymlaen oherwydd fy mod i'n mynd yn ôl adra hefo Gwil a'i rieni fory. Gwil ddaru fy mherswadio i aros ar gyfer y Noson Lawen heno ym mhabell yr eisteddfod. Doedd 'na fawr o waith perswadio arna i chwaith, a dweud y gwir. Byddai Dafydd Iwan yn canu yno, a'r Derwyddon a Tony ac Aloma. Roedd yn rhaid i mi ffonio adra ddoe i ofyn i Mam. Pan welodd hi fod rhieni Gwil yma i gadw llygad ar betha (!) ac y byddai'r stafell ar gael gan Mrs Jones Bow Street am un noson arall, mi gytunodd. Doedd Dad ddim o gwmpas i daflu dŵr oer dros bob dim, mae'n rhaid.

Mae cymaint wedi digwydd heddiw fel nad ydw i ddim yn gwybod lle i ddechra. Aeth y genod adra ar ôl brecwast ac roedd hi'n od o ddistaw. Roedd Gwil wedi trefnu ei fod o'n dod draw yn y car hefo'i dad i fy nôl erbyn deg o'r gloch. Doedd gen i ddim byd i'w wneud ond disgwyl yn y parlwr bach a gwrando ar bob eiliad yn disgyn yn drefnus o grombil y cloc ar y silff ben tân. Roedd ogla brecwast wedi treiddio drwy'r tŷ. Does 'na ddim byd gwaeth nag ogla bwyd sy'n dal i hofran a glynu dros bopeth ymhell wedi i'r pryd gael ei fwyta. Dyna un o'r pethau dwi'n dal i'w cofio am yr ysbyty ym Mangor ar ôl bod yno'n gweld Taid ac wedyn Gwil. Ogla bwyd yn aros ac yn codi pwys arnoch chi. Dydi brecwast ddim yn un o fy hoff brydau i. Dwi'n un wael am fwyta yn y bore, a dydw i ddim yn hoffi llefrith, sy'n boen, o achos mae angen i chi foddi bron bob dim dach chi'n ei gael i frecwast mewn llefrith. Ych! Blas buwch.

Teimlais yn od o swil yn eistedd yng nghefn y car ar y ffordd i'r dre. Roedd Gwil yn eistedd hefo'i dad yn y tu blaen. Biti na fasa Gwil yn gallu gyrru'r car ei hun. Mi fasan ni wedi cael dipyn o lonydd i siarad wedyn! Methu disgwyl i gyrraedd a chael Gwil i mi fy hun. Roedd Mr Wynne yn glên, ond roeddwn i'n teimlo fel pe bawn i yng ngŵydd athro ysgol neu rywun felly. Yn gorfod bod yn ofalus rhag i mi ddweud rhywbeth gwirion. Roedd Taid Arwelfa'n fwy hwyliog o lawer, er ei fod o flynyddoedd yn hŷn na thad Gwil.

'Ti wedi darllen cerddi'r Gadair, Gwil?'

Roedden ni wedi mynd am dro i lawr at y môr. Roedd hynny'n braf, fel bod adra. Anadlu'r tonnau'n fwy na phopeth a'r heli'n pigo'n ffroenau ni.

'Do,' medda Gwil. 'Gwych.'

Ond doedd ganddo fo fawr i'w ddweud. Dwi'n siŵr mai twtsh o genfigen oedd o! Mae hynny'n gwneud i mi amau fwyfwy bod Gwil wedi cystadlu!

'Ti'n meddwl y bydd o yna heddiw?' medda fi.

'Pwy?'

'Bardd y Gadair.'

'Dwn 'im. Pam?'

'Dim byd.'

'Mae gen i sypreis i ti,' medda Gwil, yn troi'r stori.

'Be?'

Gostyngodd Gwil ei lais. 'Mae gen i docynnau ar gyfer pnawn 'ma!'

'Tocynnau?'

'Ia. Ar gyfer araith yr hen Carlo!'

'Ond i be fasan ni isio mynd i wrando ar hwnnw?'

'Nid mynd yno i wrando fyddan ni!'

'Be ti'n feddwl?'

'Wel, mynd yno i brotestio, siŵr iawn! Mae un o

86

aelodau'r Gymdeithas wedi cael gafael ar docynnau ar gyfer bloc o seddau hefo'i gilydd. Mi ddaru o gymryd arno ei fod o'u hisio nhw ar gyfer trip plant bach o'r de oedd isio gweld eu hannwyl brins! Cês, te?'

Yn ddiweddarach, mi ges i wybod mai Trefor Beasley oedd enw'r dyn hwnnw!

Erbyn gweld, roedd y seddau i gyd reit yn y tu blaen. Stwffiodd Cochyn ac Yvonne at ein hymyl ni ac roedd hi'n amlwg fod gan Cochyn rywbeth wedi'i guddio o dan ei siaced. Dim ond un rhes o seddau oedd o'n blaenau ni – pobol bwysig yr Urdd a pharchusion y dref oedd yn eistedd yn fan'no. Dechreuodd fy stumog gorddi.

'Mi ddaw'r hen Charlie gyda hyn!' sibrydodd Gwil yn uchel. Roedd ei anadl yn boeth ar fy nghlust i. 'Pan fydd o'n cyrraedd y llwyfan, dan ni i gyd yn mynd i godi hefo'n gilydd a cherdded allan! Cofia godi un o'r rhain!'

Gwthiodd boster i'm llaw i: BRAD 1282. Gwenodd Yvonne arna i'n gefnogol a gwasgu fy llaw. Roedd ei bysedd yn teimlo'n oer yn erbyn fy nwrn chwyslyd i. Digwyddodd popeth mor sydyn. Dwi ddim yn cofio codi ar fy nhraed ond dwi'n cofio wynebau'r bobol yn y rhes flaen yn troi atom, rhai mewn sioc ac eraill yn ddig. Roedd 'na tua hanner cant ohonon ni i gyd, ac ymhen eiliadau roedd y babell yn ferw gwyllt. Aeth cynnwrf drwy'r dorf wrth i ni gerdded allan, a chefais gip sydyn ar wyneb y prins. Rhyw gymysgedd o ddirmyg a siom oedd yn ei lygaid. Gwelais bobol yn y gynulleidfa'n ysgwyd eu pennau'n ddig ac roedd ambell un yn gweiddi pethau cas. Fel roedden ni'n mynd allan mi gododd llawer o bobol ifanc oedd yn eistedd yng nghefn y babell a'n dilyn i ddangos eu cefnogaeth. Chwarae teg iddyn nhw. Ond doedd 'na fawr o gysur i'w gael o hynny chwaith pan oedd y rhan fwyaf yn amlwg yn chwyrn yn ein herbyn. Mi glywson ni eiriau John Garnon o'r llwyfan fel yr oedden ni'n gadael: 'Mae tipyn mwy ohonon ni ar ôl heb fynd mas!' Roedd cymeradwyaeth y dorf yn y babell i'r geiriau hynny'n codi gwrychyn pawb ohonon ni. Doedden ni fawr o feddwl fod gwaeth i ddod!

Mi dreulion ni weddill y pnawn hefo Cochyn ac Yvonne yn lladd amser tan gyda'r nos. Roedd 'na giw hir pan gyrhaeddon ni'r maes ac roedd hi'n amlwg y byddai'r babell yn orlawn ar gyfer y Noson Lawen.

'Glywsoch chi'r prins yn siarad Cymraeg pnawn 'ma?' meddai dynes a safai reit o'n blaenau ni wrth ei ffrind.

'O, bobol annwl, toedd o'n dda, dwch? Deud bod o'n darllan Dafydd ap Gwilym yn ei wely bob nos!' atebodd y llall.

'Ia, chwara teg iddo fo! Mi oedd hi'n syndod ei fod o wedi medru siarad cystal hefyd, a deud y gwir, a'r hen betha Cymdeithas yr Iaith 'na wedi gneud y fath stŵr. Codi cywilydd arnyn nhw'u hunain ac ar bawb arall!'

Fedrwn i ddim credu pa mor daeog oedd pawb. Ac

eto, toeddwn i wedi hen arfer â chlywed fy nhad fy hun yn dweud petha tebyg?

Glan Davies oedd yn cyflwyno'r noson, ac mi gychwynnodd petha hefo'r Derwyddon yn canu. Roeddwn i ar flaen fy sedd drwy'r hanner cyntaf yn disgwyl am fy arwr mawr, Dafydd Iwan. Cychwynnodd hefo 'Ai Am Fod Haul yn Machlud' ac yna aeth ati i ganu cân newydd ar gyfer yr achlysur, medda fo – 'Croeso Chwe Deg Nain'. Roedd honno mor ddoniol, yn sôn am 'Nain yn naw deg, yn dweud ei bod hi'n chwe deg' a phan ganodd o am 'ddannedd gosod Taid ym mŷg y Prins' daeth bonllefau o chwerthin o blith cefnogwyr Dafydd. Ond doedd pawb ddim yn hapus o bell ffordd. Y rhai yn y seddau blaen oedd yn anghymeradwyo, y bobol 'barchus'. Pobol yr Urdd! A phan ddychwelodd Dafydd Iwan wedyn yn yr ail hanner, cyn iddo ganu 'Carlo', sydd ar frig y siartiau pop ar hyn o bryd, yr un ymateb a gafodd. Cyfeiriodd at pnawn 'ma, pan gerddodd nifer ohonon ni allan o'r babell. Ac yna darllenodd 'Fy Ngwlad', un o'r cerddi a enillodd y Gadair ddoe i Gerallt Lloyd Owen. Aeth iasau i lawr f'asgwrn cefn wrth i mi glywed y cwpled agoriadol:

Wylit, wylit, Lywelyn,
Wylit waed pe gwelit hyn.

Ac yna trodd fy mhleser o glywed y geiriau yn anghrediniaeth lwyr. Roedd 'pwysigion' y Steddfod ei hun – y dynion siwtiog a'r merched blonegog yn eu cyrls tyn a'u perlau – yn dangos eu hanghymeradwyaeth. Dyma nhw i gyd – y 'ffafrgarwyr', 'y dynion a Brydeiniwyd' – yn edrych i ddrych y geiriau ond yn gwrthod eu hadnabod eu hunain. Yn gwylltio am fod y gwir yn brifo. Roedden nhw'n curo'u dwylo'n araf tra oedd Dafydd yn darllen y gerdd. Teimlwn fy nicter tuag atyn nhw'n cymylu fy llygaid. A dwi'n ei deimlo fo rŵan. Dicter. Siom. A rhywbeth arall hefyd. Grym ewyllys. Angerdd. Penderfyniad. Dyma'r teimladau sy'n ennill bellach. Yn goroesi. Dwi'n mynd i dynnu fy nerth o eiriau'r gerdd hon. A dwi'n mynd adra fory i wynebu Dad ac i ddweud wrtho fo fod ganddo fo ferch sy'n Genedlaetholwraig. A thra bydd o wrthi'n gweld y Werddon, mi a' inna ati i beintio pob man arall yn wyrdd. A derbyn y canlyniadau. Waeth i mi fod yn y jêl ddim, erbyn meddwl. Mae hi'n edrych yn bur debyg mai yno fydd Gwil am beintio arwyddion ffyrdd, ac mi fydd Taid yn dynn ar ei sodlau o am wrthod prynu treth car. Carchar dros Gymru amdani, felly. Wedi'r cyfan, fydd 'na ddim croeso i mi adra, na fydd, ar ôl i mi gyfaddef wrth y dyn 'cw 'mod i wedi troi'n 'Welsh Nash'!

Dydd Sul, Mehefin 1af

Pawb yn ddigon tawel yn y car ar y ffordd adra. Ogla ci yn y car er nad oedd Ned druan wedi cael trip i lawr i Aber. Na, mi oedd hwnnw wedi mynd ar ei wyliau at frawd Mr Wynne ym Mhorthmadog. Cael ei ollwng yno ar y ffordd i lawr. Ond roedd ei flanced o wedi cael dod! Roedd yn rhaid cael honno, yn doedd, er mwyn iddo fo gael gorwedd mewn cysur ar y ffordd yn ôl! Y flanced wlân a'r holl flew arni. Roedd Gwil a fi wedi gorfod eistedd arni gan ei bod wedi ei thaenu'n barchus dros y sedd gefn. Roedden ni wedi llwyddo i ddal dwylo am ryw gymaint o'r daith heb i'w rieni sylwi, ond roedd hynny'n amhosib, wrth gwrs, ar ôl i ni godi Ned! Roedd hwnnw wedi gwirioni wrth weld pawb ac wedi glafoerio'n ddiddiwedd yr holl ffordd o Borthmadog i Bontnewydd! Mi gysgodd wedyn. Chwyrnu'n uwch nag injan y car yr holl ffordd adra i Sir Fôn!

Roedd hi'n weddol hwyr arnon ni'n cyrraedd. Teimlo'n falch nad oedd Dad o gwmpas. Hwnnw'n gweithio shifft o ddau tan ddeg. Mi fydd o'n siŵr o glywed am y brotest. Ac mi fydda inna'n siŵr o gochi at fy nghlustiau ac edrych yn euog.

'Wel?' medda Mam. 'Welist ti'r Prins?'

'Fawr o gyfle,' medda finna a gwneud rhyw sioe fawr

91

o ddylyfu gên ac edrych wedi blino. Dianc am y ciando wedyn cyn i mi gael fy holi am ddim byd arall.

Dwi'n edrych ymlaen at weld Taid Arwelfa er mwyn cael cyffesu'r cyfan!

Dydd Llun, Mehefin 2

Galw yn Arwelfa ar y ffordd adra o'r ysgol. Roedd Taid wedi gwirioni cael copi o gerddi'r Gadair. Wnes i ddim aros am banad. Gormod o waith cartref. Roedd Nain yn y parlwr o flaen y teledu newydd.

'Disgwyl cael cip ar y dyn Milk Tray 'na eto mae hi, mae'n siŵr!' medda Taid â winc arnaf i. Roedd hynny'n golygu y byddai yntau'n cael llonydd wrth fwrdd y gegin i bori trwy'r cerddi.

Adra mewn trefn i ddechrau ar fy ngwaith cartref Cymraeg. Eryl yn weddol gall a Mam yn glên. Dad yn gweithio shifft tan ddeg heno, felly mi es i fy ngwely heb ei weld o. Noson ddidrafferth a neb yn ffraeo. Dwi'n diffodd y golau bach wrth y gwely rŵan.

Dad wedi clywed am y brotest yn Aber! Mi gollodd ei limpin yn lân. Ddoe ddigwyddodd hyn, ond doedd gen i ddim calon i sgwennu'r un gair. Roedd yna bobol wedi fy ngweld i'n cerdded allan hefo Gwil. Pobol o'r pentref agosaf, ac maen nhw'n nabod Dad. Nabod y teulu. A theulu Gwil.

'Sgin ti'm cywilydd, dywed?'

Dyna oedd ei eiriau o. Roedd o'n methu'n glir â chredu, medda fo, bod merch iddo fo wedi ymddwyn felly. Ar y tacla Cymdeithas yr Iaith 'na oedd y bai i gyd, medda fo. A dyna'r tro ola y baswn i'n cael mynd i hel fy nhraed hefo hogyn y gweinidog, medda fo wedyn. Yn lle cau 'ngheg mi wnes i gega'n ôl. Dweud fod gen i hawl i weld pwy fynno fi. Dweud mai fo ddylai gywilyddio am fod yn fradwr. Mi wylltiodd a'm hel i fyny i fy stafell. Roedd Mam yn snwffian crio, Dad yn traethu ac Eryl wedi mynd i'w gragen. Dydw i erioed wedi ateb Dad yn ôl fel'na o'r blaen. Roedd fy mol i'n corddi ond roeddwn i'n benderfynol o ddal fy nhir.

Mae 'na hen awyrgylch oeraidd yn y tŷ. Rhwng Dad a fi mae'r tensiwn, ond mae Mam yn bihafio'n od hefyd. Gwybod bod y ddau ohonon ni'n rhy debyg i'n gilydd mae hi.

'Mae o wedi'i frifo, Sara,' medda hi cyn i mi ei chychwyn hi am yr ysgol y bore 'ma. Roedd Eryl wedi mynd o 'mlaen i a Dad wedi mynd i'w waith ers chwech. Shifft gynnar. Roedd hynny'n rhoi cyfle iddi hi weithio arna i, yn doedd?

'Mae gen i hawl i fy naliadau,' medda fi.

'Tria ddallt, wnei di? Plisman ydi dy dad. Ei waith o ydi cadw trefn. Cadw'r heddwch, ac mi wyt titha'n mynnu cael dy weld hefo'r stiwdants 'ma sy'n codi twrw ac yn protestio a ballu. Ei gyflog o sy'n ein cadw ni, Sara. Dangosa dipyn o barch, wnei di, 'mwyn Tad!'

'Ond mae o am i mi roi'r gorau i weld Gwil, Mam! Dydi hynny ddim yn deg!'

'Meddwl fod Gwil yn dy hudo di mae o.'

'Dydi hynny ddim yn wir! Ylwch, mae'n rhaid i mi fynd neu mi fydda i'n colli'r bws!'

Ac mi ruthrais allan heibio iddi. Roedd hi'n fore mor braf. Rhy braf i ffraeo. Doedd hi ddim yn deg eu bod nhw'n fy nhrin i fel hyn, yn gwneud i mi deimlo'n euog ac yn ddrwg. Fi oedd yr unig un ohonyn nhw oedd â rhywfaint o gydwybod.

Dydd Sadwrn, Mehefin 7

Dywedais 'mod i'n mynd i dŷ Bethan i wrando ar recordiau. Celwydd, wrth gwrs. Roedd Gwil adra. Mi gafodd fenthyg car ei dad ac roedd o isio mynd i gyffiniau Caernarfon i ddanfon sachaid o datws i fodryb ei fam, medda fo. Roedd hi'n braf, dim ond y ddau ohonon ni, er fy mod i'n teimlo rhyw fymryn yn euog fy mod i wedi palu celwydd wrth Mam.

'Aros di yn y car,' medda Gwil ar ôl i ni gyrraedd. 'Dydi Anti Jini ddim yn lecio pobol ddiarth. Ma' hi'n hanner dall a byddar, ti'n gweld.'

Tŷ teras bach oedd o ac roeddwn i'n meddwl mai picio i mewn am ddau funud oedd Gwil. Ond aeth dau funud yn ddeg, yn ugain. Dechreuais deimlo'n anniddig. Aeth awr heibio a dim golwg ohono fo'n dod allan yn ei ôl. Erbyn hyn roeddwn i'n poeni. Penderfynais roi pum munud arall iddo fo cyn mynd i guro ar y drws. Efallai fod Anti Jini wedi mynd yn sâl neu wedi cael codwm neu rywbeth. Roeddwn i'n dychmygu pob mathau o bethau. Efallai mai Gwil ei hun oedd yn sâl, wedi cael pwl hefo'r hen glefyd siwgwr 'na! Ac Anti Jini ddall ddim yn dallt be i'w wneud! Dyna wnaeth i mi fynd o'r car a magu plwc i guro ar y drws. Cefais fraw pan agorwyd y drws gan ddyn ifanc barfog yn ei ugeiniau. A doedd o'n sicr yn ddim byd tebyg i ddisgrifiad Gwil o Anti Jini!

'Disgwyl am Gwil ydw i,' medda fi'n ansicr. 'Ei weld o braidd yn hir . . .'

'Pwy sy 'na?' meddai llais arall o'r tywyllwch. Nid llais Gwil. Ac nid Anti Jini fregus yn sicr! Dechreuais deimlo'n nerfus. Yna agorodd drws a daeth pen Gwil i'r golwg.

'Sara! Pam na fasat ti wedi aros . . ?'

'Gwil, ti wedi bod yn y tŷ 'ma ers dros awr, a finna allan yn y car ar fy mhen fy hun! Be' sy'n mynd ymlaen yma? Nid tŷ dy fodryb ydi hwn, naci?'

Trodd y Barfog at Gwil.

'I be oeddat ti'n dod â hon hefo chdi?'

'Gwil,' medda fi, 'tyrd adra. Tyrd o 'ma!'

Roeddwn i'n synhwyro fod rhywbeth ar droed. Ond beth? Dechreuais bryderu.

'Fedra i ddim dod rŵan, Sara. Dos i'r car i aros amdana i.'

'Na, Gwil! Dwi isio gwbod be sy'n digwydd! Pam na cha i ddod i mewn hefyd?' holais, er nad oeddwn i ddim yn hollol siŵr mai dyna oedd arna i ei isio chwaith. Roedd y cyfan braidd yn sinistr ond gwyddwn y byddwn i'n teimlo'n brafiach pe bawn i yno hefo Gwil yn hytrach

nag yn aros tu allan. Edrychodd y Barfog arna i'n
rhyfedd a gostwng ei lais:

'Gei di ddod i mewn ar un amod. Dy fod ti'n tyngu llw
o ufudd-dod!' meddai.

Fedrwn i ddim credu 'nghlustiau! Roedd o fel
digwyddiad mewn ffilm neu lyfr. Gafaelodd Gwil yn fy
llaw a 'nhynnu i mewn i'r tŷ. Pan welais i'r gyllell yn llaw
y Barfog, bu bron i mi lewygu!

'Paid â'i dychryn hi, Bleddyn!'

Felly dyna oedd ei enw fo. Dyma Gwil yn dechrau
egluro rhywbeth am dyngu llw.

'Cyfarfod o'r FWA ydi hwn. Fiw i ti ddweud gair o dy
ben am hyn.' Yna sibrydodd yn fy nghlust i: 'Mae 'na sôn
yma am gael gwared o'r tywysog!'

'Be ti'n feddwl? Nid . . . nid ei *ladd* o?'

Culhaodd llygaid Gwil a rhoddodd ei fys ar ei geg.
Rhedodd ias lawr f'asgwrn cefn a daeth teimlad o isio
chwydu drosta i. Dwi'n gwybod am y Free Wales Army.
Mae Dad wedi tantro digon ynglŷn â'r rheiny. Mae naw
o aelodau yng ngharchar Abertawe rŵan hyn yn disgwyl
eu hachos. Mae enwau pobl fel Cayo Evans a Dennis
Cosslett yn wybyddus i bawb erbyn hyn. Ac mi wnes i
adnabod y bathodyn yn syth – bathodyn yr FWA – ar
lawes y Barfog. Bathodyn siâp eryr. Edrychais ar y gyllell
– roedd hi'n debyg i ddagr – yn llaw Bleddyn Farfog.

'Rhaid i ti dyngu llw o ufudd-dod ar y gyllell,' meddai

Gwil. Mae'n rhaid fod fy llygaid i wedi lledu mewn braw oherwydd gafaelodd Gwil amdana i a dweud yn dyner:

'Does neb yn mynd i dy frifo di. Cyfrinachedd ydi'r peth pwysig, ti'n gweld. Does fiw i neb wybod am y cyfarfod yma!'

Wrth edrych ar Gwil daeth teimlad rhyfedd drosta i. Nid yn gymaint ofn ond siom. Doeddwn i ddim yn ei nabod o go iawn wedi'r cyfan, nag oeddwn? Roedd rhywbeth yn frawychus ynglŷn â'r mudiad yma. Doedden nhw ddim yn gweithredu'n agored fel y Gymdeithas. A hyd yn hyn, doedd gen i ddim syniad fod Gwil yn poitshio hefo nhw! Doedd gen i ddim dewis rŵan, nag oedd, ond cymryd y llw. Roedd fy stumog yn dechrau corddi ac roedd hi'n anodd ailadrodd y geiriau ar ôl Bleddyn, yn enwedig â hwnnw'n dal y gyllell ar fy ngwddw i!

'Yr wyf i, Sara Myfanwy Harris, yn tyngu llw o ufudd-dod i Fyddin Rhyddid Cymru ac i'w hachos . . .'

Fedrwn i ddim credu mai fy llais i oedd yn ynganu'r geiriau. Roeddwn i'n dweud y byddwn i'n fodlon marw cyn y byddwn i'n bradychu'r bobol 'ma! Ond hyd yn oed wedyn, ches i ddim mynd i'r un ystafell â nhw. Roedd yn rhaid i mi eistedd yn y gegin ar fy mhen fy hun yn cyfri'r briwsion ar y lliain bwrdd ac yn difaru 'mod i wedi twllu'r lle 'ma. Yn difaru 'mod i wedi cytuno i ddod am dro yn y car. A bron yn difaru 'mod i wedi dechrau cyboli hefo Gwil o gwbwl!

Siaradon ni fawr ddim yr holl ffordd adra. Anti Jini o ddiawl!

'Be ma' hwnna'n bwriadu'i wneud hefo'r tatws?' medda fi'n sbeitlyd. 'Eu defnyddio nhw yn ei wn?'

Nid atebodd Gwil. Wyddai o ddim beth i'w ddweud bellach, wrth gwrs. Euogrwydd oedd hynny. Roedd o'n teimlo'n euog am gelu'r cysylltiad rhyngddo fo a'r FWA. Yr FWA! Roedd y peth mor afreal. Roeddwn inna mewn sioc. Roeddwn i wedi cael fy ngorfodi i dyngu llw â chyllell wedi'i dal yn erbyn fy ngwddw! Roedd Gwil wedi trio fy nghysuro i fwy nag unwaith na fyddai Bleddyn wedi defnyddio unrhyw fath o rym ac mai dim ond defod oedd y cyfan, ond doedd hynny'n helpu dim. Ro'n i wedi cael andros o fraw, a thyngais lw i fudiad na wyddwn i ddim oll amdano fo mewn gwironedd; hyd yn oed wedyn ches i mo fy nghynnwys mewn unrhyw drafodaeth na dim. Roedd y cyfan yn brofiad erchyll a dwi'n poeni. Ac yn waeth na dim, cha i ddim dweud wrth neb. Dim hyd yn oed wrth Taid.

Dydd Mercher, Mehefin 18

Wedi esgeuluso'r dyddiadur. Dal i boeni am y busnes FWA 'na. Enw Taid yn rhifyn y mis yma o *Barn* hefo'r rhestr o droseddwyr newydd, y rheiny sy'n gwrthod arddangos disg treth ar eu ceir wrth gwrs. Mae 'na bobol ddeallus a phwysig ar y rhestr ac mae Taid wedi cael lle parchus iawn rhwng dau weinidog! Sylwith neb o'n teulu ni chwaith oherwydd mai dim ond fi a Taid sy'n darllen *Barn*, ond mi fydd rhywun arall yn siŵr o weld ei enw fo ac yn ddigon 'caredig' i ddweud wrth Dad. Dwi ddim yn dallt sut na fasa hwnnw wedi sylwi erbyn hyn ar y lle gwag ar ffenest flaen car Taid chwaith.

Dydd Gwener, Mehefin 20

Mae mam Gwil wedi cael tocynnau i ni ers sbel ar gyfer Noson Lawen. Mae hi hyd yn oed wedi trefnu bws ar gyfer pobol sy'n mynd o'r ardal yma. Mae Mam wedi dweud ei bod hi'n iawn i mi fynd oherwydd bod rhieni Gwil yn mynd hefyd, a chan fod ei dad o'n weinidog mae hynny'n golygu y bydda i'n saffach fyth! Tasa hi'n gwybod mai Noson Lawen i ddathlu gwrthwynebiad i'r

Arwisgo ydi hi, mi fasa'r stori'n wahanol, dwi'n siŵr! Y peth ydi – dwi'm yn rhy siŵr a ydw i isio mynd. Dwi wedi dychryn drwy 'nhin ac allan ar ôl y noson o'r blaen. Be tasan ni'n gweld y Bleddyn erchyll 'na yno? Mae gen i ofn, ac mewn ffordd ryfedd ac ofnadwy mae Gwil yn fy anesmwytho i hefyd. Dwi ddim yn teimlo 'mod i'n ei nabod o bellach. Mi ddywedodd gelwydd wrtha i. Wel, na, ddywedodd o ddim byd, i fod yn deg. Osgoi dweud y gwir ddaru o. Ond yr un peth yn y bôn ydi hynny, yntê? Mae'n debyg mai mynd wna i hefyd. Mae Dafydd Iwan yn *top of the bill* felly mi faswn i'n lloerig i wrthod.

Dydd Sadwrn, Mehefin 21

Edrych ymlaen at heno er gwaetha'r cryndod yn fy mol. Rhaid i mi wthio cyfarfod yr FWA i gefn fy meddwl. Bechod na fedrwn i wneud yr un peth hefo Gwil. Does gen i ddim amynedd hefo fo ddim mwy. A dweud y gwir, dwi ddim yn meddwl 'mod i isio bod yn gariad iddo fo bellach. Mae pethau drosodd rhyngon ni i mi. Dwi ddim yn meddwl fod Gwil yn teimlo 'run fath chwaith – mae o'n glên ac yn gariadus ac yn annwyl, ond mae o wedi fy mhechu i ac yn ei galon mae o'n gwybod hynny.

Dwi'n gwybod y bydda i wedi blino gormod i sgwennu

yn hwn heno felly mi geith hanes y Noson Lawen aros
tan fory.

Dydd Sul, Mehefin 22

Roedd hi'n noson dda. Gwell na hynny – yn noson
wych. Ac nid oherwydd fod Dafydd Iwan yno chwaith.
Na. Yr un wnaeth y noson yn llwyddiant i mi oedd Taid
Arwelfa! Ia, go iawn! Roedd gan Mrs Wynne docyn yn
sbâr oherwydd fod rhywun wedi mynd yn sâl a heb yn
wybod i mi roedd hi wedi gofyn i Taid. Dydi Nain fawr o
un am ganu Cymraeg a ballu, a beth bynnag does dim
modd ei thynnu oddi wrth y teledu lliw newydd 'na
erbyn hyn. Felly, gan fod Dad yn gweithio, mi aeth Mam
ac Eryl at Nain i Arwelfa i wylio'r *Black and White
Minstrel Show* (dynion gwyn yn cogio'u bod nhw'n ddu
a hynny ar deledu lliw – lloerig ta be?) ac mi ddaeth Taid
ar y bws hefo ni i Benygroes!

Roeddwn i ar ben fy nigon yn cael cwmni Taid, ac mi
oedd hynny'n gwneud popeth yn iawn. Fyddai waeth gen
i pe bai Byddin Rhyddid Cymru yno yn eu rhengoedd yn
bwgwth pawb hefo cyllyll dim ond bod Taid yno wrth
f'ochor! Edrychodd Gwil braidd yn siomedig pan

eisteddais i hefo Taid ar y bws. Wel, gwaeth na siomedig. A dweud y gwir, roedd croen ei din o ar ei dalcen!

'Fasa'm yn well i ti ista hefo'r hogyn bach 'ma, dŵad?' medda Taid. 'Ma' golwg wedi pwdu arno fo rŵan! Mi fydda i'n iawn fy hun, sti. Dos!'

'Na, Taid. Ma' well gin i aros hefo chi.'

'Chdi ŵyr dy betha,' medda Taid yn gall. A wnaeth o ddim holi. Mae o'n dda fel'na. Da am ddarllen sefyllfa. Doedd dim rhaid i mi egluro. Dyna pam fy mod i'n gymaint o fêts hefo Taid. Mae o'n fy nallt i. Yn dallt pobol. A dweud y gwir, mae o'n dipyn o seicolegydd yn y bôn. Sy'n beth reit dda a fynta'n gorfod byw hefo Nain.

Wrth lwc, roedd Taid yn eistedd wrth y ffenest ar ochor y gyrrwr. Yr hyn oedd yn ffodus am hynny oedd mai ei glust chwith o oedd agosaf ata i. Hefo'i glust chwith mae o'n clywed orau, felly mi fedrwn i sibrwd pethau wrtho fo heb i neb arall wybod beth oedd testun ein sgwrs. Dyna roddodd hyder i mi. Wrthi'n croesi Pont Borth oeddan ni pan roish i 'ngheg yn ymyl ei glust o.

'Taid, ydi pobol yr FWA yn beryglus?'

Wnes i ddim disgwyl iddo fo chwerthin dros y bws a gwneud i bobol droi'u penna.

'Mi fasa gin i fwy o ofn dy nain!' medda Taid.

'Be dach chi'n feddwl?'

'Rhyw dacla'n chwara armi. Does neb yn eu cymryd nhw o ddifri. 'Blaw am dy dad a'i debyg, wrth gwrs.

Ma'r FWA wedi bod yn handi iawn ar gyfer lluchio llwch i lygaid yr heddlu er mwyn i rai sy'n brwydro dros Gymru go iawn gael llonydd i wneud eu gwaith!'

Soniais i'r un gair am y gyllell a Gwil a'r tŷ teras. Roeddwn i'n sâl isio ymddiried yn Taid ac yn teimlo'n chwithig – ac yn euog – am na fedrwn i ddim. Golwg bwdlyd oedd ar Gwil drwy gydol y daith. Roedd o wedi gorfod eistedd hefo'i fam. Digon tawedog oedd o ar ôl i ni gyrraedd hefyd. John Ogwen oedd yn arwain y noson, ac yn edrych yn eitha pishyn yn ei gôt ledr ddu! Mi wnaeth o ryw jôc mai noson i ddathlu agor y toiledau newydd yng Nghaernarfon oedd hi, y rhai a adeiladwyd yn arbennig ar gyfer yr Arwisgo! Toiledau cerddorol oedden nhw, medda fo, ac roedd yno record o'ch hoff gerddoriaeth yn chwarae ar ôl i chi dalu'ch ceiniog. Diwedd y stori oedd fod y Prins ei hun wedi mynd yno ar y diwrnod mawr. Bu pawb yn disgwyl yn hir amdano ac erbyn dallt roedd o wedi cael record o '*God Save The Queen*' ac wedi gorfod sefyll! Roedd Taid wrth ei fodd hefo honna. Pan orffennodd o chwerthin mi edrychodd o'i gwmpas a rhoi pwniad slei i mi yn f'asennau.

'Ti'n gweld y dynion 'na'n sefyll yn y cefn?' medda fo.

Trois i edrych gan ddisgwyl gweld aelodau o'r FWA a Bleddyn yn eu plith! Roedd golwg eitha abal ar ambell un o'r rhain hefyd ond roedd golwg chwithig arnyn nhw yn ogystal. Doedden nhw ddim yn ffitio i'r gynulleidfa rywsut.

'Pwy ydyn nhw, Taid?' Roeddwn i'n hanner-ofni'r ateb.

'Plismyn yn eu dillad eu hunain,' medda Taid. 'Yr heddlu cudd, fel maen nhw'n eu galw nhw.' Rhoddodd winc arna i. 'Golwg fel'na fasa ar dy dad yn ei siwt nos Sadwrn!'

Heddlu cudd. Roedd pethau'n dechra gwneud synnwyr rŵan. Roeddwn i wedi gweld dynion fel hyn o'r blaen, ond doeddwn i ddim wedi meddwl am y peth cyn hyn. Steddfod yr Urdd. Ambell rali. Roedden nhw wedi bod yno. Yn gwylio. Gwrando. Cadw llygad.

Daeth Gwil ata i ar ddiwedd y noson.

'Be dwi wedi'i wneud i ti? Ti'm wedi deud dau air wrtha i drwy'r nos.'

'Ti'n gwbod yn iawn be ti wedi'i wneud!' medda finna.

'Tyrd yn dy flaen, Sara. Plîs. Dwi 'di deud bod yn ddrwg gen i. Yli, gad i ni fynd yn ôl i fod fel oedden ni. Camgymeriad oedd y noson o'r blaen. Wna i byth ddim byd fel'na eto. Dwi'n addo. Wir yr, Sara!'

Dechreuais feddalu. Roedd o'n edrych arna i hefo'r llygaid mawr 'na. Gofynnodd i mi fynd hefo fo'r dydd Sadwrn canlynol i rali gwrth-arwisgo i lawr yng Nghilmeri. Cilmeri. Lle lladdwyd Llywelyn Ein Llyw Olaf. Lle'r oedd y garreg goffa enwog. Roeddwn i isio mynd i Gilmeri'n fwy na dim. Byddai cymodi hefo Gwil yn beth da – am y tro! Cytunais i eistedd hefo fo ar y ffordd adra ac mi eisteddodd Taid yn ddigon bodlon wrth ochor Mrs Wynne.

Roedd hi'n eitha hwyr erbyn i ni gyrraedd adra ac roeddwn i eisoes wedi trefnu i aros yn Arwelfa dros nos. Mi fyddwn inna'n mynd adra yn f'ôl erbyn cinio Sul ac yn dod â Nain a Taid hefo fi. Oni bai am y tywydd mi fyddai popeth wedi bod yn iawn. Ond roedd hi wedi stido bwrw drwy'r bore ac yn gwella dim erbyn amser cinio. Fel arfer, mi fasen ni'n tri wedi cerdded. Dydi hi fawr o ffordd. Beth bynnag, oherwydd y glaw, penderfynodd Taid fynd i nôl y car rownd o'r cefn er mwyn i Nain gael cyrraedd mewn steil, ac yn bwysicach fyth heb wlychu'i gwallt. Roedd y *wash-an'-set* wythnosol yn siop wallt Audrey yn costio gormod i gael trochfa ar y ffordd o Arwelfa i'n tŷ ni.

Ar ôl cinio ddigwyddodd yr helynt. Dad ddim wedi gweld hen gar Arwelfa ers sbel. Dod allan i fusnesa. Y glaw wedi stopio'n gyfleus iawn erbyn hynny, yn doedd?

'Ew, ma'r hen gar yn dal mewn cyflwr go dda gynnoch chi!' medda Dad yn reit joli.

'Ydi,' cytunodd Taid. 'Dydi o'm yn cael rhyw lawar o iws, wyddost ti. Dim ond 'nôl a blaen fel hyn amball waith. Dwi 'di bod yn rhoi mymryn o saim gŵydd o dano fo rhag rhwd, ti'n gweld. Sna'm byd tebyg i saim gŵydd. Mae o'n gneud lles i bob matha o betha.'

Wel, os ydi saim gŵydd mor llesol, mi ddyla Dad fod wedi cael pwcedaid ohono fo dros ei ben yr eiliad hwnnw oherwydd pan edrychodd i gyfeiriad y windsgrin a dweud, yn ddigon clên a llawn consýrn:

'Ew, arhoswch funud. Ma'ch disg treth chi wedi disgyn i rywle oddi ar y ffenast. Gwell i ni chwilio amdano fo neu ffein gewch chi!'

Mi atebodd Taid yn dawel, ddigynnwrf: 'Na, does 'na'r un i fod yno, yli. Dwi'n rhan o'r brotest yn erbyn disgiau uniaith Saesneg.'

Bu saib fer, ddramatig fel y tawelwch annifyr sy'n dod reit o flaen coblyn o storm. Mi faswn i'n taeru fod Dad wedi newid ei liw ddwywaith o leiaf. Mi aeth o goch i biws ac wedyn yn rhyw welw-lwyd fel uwd oer.

'Be?' medda fo. 'Be ddudoch chi? Protest? Hefo tacla'r iaith? Be haru chi, dwch, dyn o'ch oed chi?' Ac yna trodd at Mam: 'Ac ers faint wyt ti'n gwbod am hyn? Y? Bod dy dad wedi troi'n Welsh Nash?'

Chafodd Mam ddim cyfle i ateb.

'Dydw i ddim wedi *troi*'n ddim byd,' medda Taid yn bwyllog, a heb godi'i lais 'run fath â Dad. Rhoddodd bwyslais ar y gair 'troi'. 'Dydw i ddim wedi newid gronyn. Mi ges fy ngeni'n Gymro glân gloyw ac mi a' i 'medd yn Gymro. Mi ydan ni fel cenedl wedi mynd dan draed y Saeson ac wedi cymryd ganddyn nhw erioed. Dwyt ti ddim yn dweud, debyg, dy fod yn cymeradwyo'r

107

hyn sy'n digwydd yng Nghymru heddiw? Dwyt ti 'rioed yn dweud nad oes gan Gymro mo'r hawl i gael popeth trwy gyfrwng ei iaith ei hun? Boddi'n cymoedd ni! Rhoi rhyw sbrych bach o Sais yn dywysog arnan ni! Ti'n dweud bod petha felly'n *iawn*?'

Roedd hyd yn oed Nain wedi anghofio sbio'n ddu arno fo am feiddio galw Charlie'n 'sbrych' oherwydd ei bod hi wedi dychryn cymaint o glywed Taid yn areithio mor danbaid. Bu saib ddramatig arall. Un hirach y tro hwn.

'Sgynnoch chi'm cywilydd, dwch, yn torri'r gyfraith yn agored a'ch mab-yng-nghyfraith chi'n blismon?' Roedd Dad wedi cael hyd i'w lais.

'Chdi ddyla fod â chywilydd,' medda Taid â fflach yn ei lygad. 'Yn hogyn o'r pentra 'ma. Wedi'i fagu'n barchus ar aelwyd uniaith Gymraeg. Mi fasa dy fam dlawd yn troi yn ei bedd, dallta, tasa hi'n gwbod dy fod ti wedi troi dy gefn ar y petha sy'n cyfri. Nid y fi sydd wedi newid, 'machgen i, ond y chdi. Chdi newidiodd o'r munud y rhoist ti'r iwnifform felltith 'na amdanat!'

Wn i ddim am saim gŵydd. Mi es i'n *groen* gŵydd drosta i. Aeth Taid i'r car a rhoi clep i'r drws cyn dechra refio 'fath â Stirling Moss. Welais i erioed mo car bach Arwelfa'n symud mor handi. Roedd Nain yn eistedd yn ei het yn syllu'n syth o'i blaen yn gwneud dynwarediad reit dda o'r Frenhines Fictoria. Addas iawn, mae'n debyg, a hitha mor hoff o Charlie a'i dylwyth. Meddyliais am y pryd o dafod fyddai Taid yn ei gael ar ôl iddyn nhw gyrraedd adra. Ond am y tro cyntaf yn f'oes wnes i ddim poeni amdano fo'n methu dal ei dir! Trodd Dad am y tŷ a Mam ac Eryl a finna'n ei ddilyn o fel rhes o hwyaid.

Roedd y llestri cinio'n dal ar y bwrdd heb eu clirio. Aeth popeth dan gwmwl rhywsut. Roedd golwg isio crio ar Mam. Eryl, yn gwbwl annisgwyl, ddaeth i'r adwy a dweud mewn llais annodweddiadol o aeddfed: 'Steddwch, Mam. Mi wna i banad, ylwch.'

Doeddwn i ddim yn meddwl bryd hynny y byddai heddiw'n gallu bod yn llawer gwaeth. Cyn i'r banad gael amser i sefyll yn y tebot, canodd cloch y drws ffrynt. Dros ysgwydd Dad mi welwn ddau ddyn mewn siwtiau. Roedd un yn dangos cerdyn i Dad ac yn dweud: 'Tad Sara Harris, ia? Ditectif Inspector Emyr Morgan, Special Branch. Ma' gynnon ni le i gredu fod gan eich merch gysylltiad gyda'r FWA.'

Trodd Dad ac edrych arna i. Meddyliais ei fod o'n mynd i gael trawiad. Yn lle hynny, mi aeth â'r dynion diarth i'r parlwr. Nhw gafodd y te a baratowyd gan Eryl. Roedd o wedi hen stiwio erbyn hynny ond sylwodd neb. Defnyddiais bob owns oedd gen i o rym ewyllys i beidio chwydu ar y carped. Roedd fy nghorff yn gryndod i gyd. Disgynnais ar y soffa yn foddfa o ddagrau. Eryl, chwarae teg iddo fo, ddaeth ata i a gafael yn fy llaw i. Doedd 'na ddim golwg o Mam ac roedd arna i ofn wynebu Dad. Roedd gen i hiraeth am Taid ac roedd meddwl amdano fo'n gwneud i mi grio mwy.

Mi fuo dynion y Special Branch acw am o leiaf hanner awr. Roedden nhw'n holi ac yn stilio, drosodd a throsodd. Yr un peth o hyd ac o hyd. Dywedais y cyfan wrthyn nhw. Dweud na wyddwn i ddim oll am yr FWA. Nad oeddwn i erioed wedi gweld yr un ohonyn nhw tan y noson honno. Dywedais gymaint yr oeddwn i wedi dychryn ar ôl cael fy ngorfodi i dyngu'r llw, ac edrychais o gwmpas gan ddisgwyl cael rhywfaint o gydymdeimlad. Doedd dim i'w gael. Roedd wyneb Dad yn ddifynegiant. Yn oer fel darn o farmor. Doeddwn i ddim yn ei nabod o. Disgrifiais Bleddyn Farfog drosodd a throsodd. Roedd y cyfan gymaint gwaeth, yn gymaint mwy o hunllef, oherwydd fy mod i wedi dyheu am gael anghofio'r noson ofnadwy honno. Ac roeddwn i'n canu fel caneri, yn gollwng Gwil yn y cawl at ei geseiliau.

Dwi ddim yn cofio'n union pryd aeth dynion y Special Branch o'r tŷ. Y cyfan dwi'n ei gofio ydi bod neb arall ar ôl yn y parlwr heblaw am Eryl a fi. Lleisiau. Drws ffrynt yn cau. Lleisiau yn y gegin. Tawelwch. Wedyn clep ar ddrws y cefn. Sŵn car Dad yn tanio, refio, rhuo i ffwrdd. Llaw Eryl yn tynhau ar fy llaw i. Theimlais i erioed mor agos ato fo. Disgynnodd rhywbeth bach i'w le yn ein perthynas ni o'r munud hwnnw – fel un o'r darnau hynny mewn jig-sô sydd mor anodd cael hyd iddo fo nes eich bod chi bron â gorffen y darlun. Darn bach sydd wedi bod yno drwy'r amser a dach chi wedi'i golli o yng nghanol y gweddill. Rydach chi'n sylweddoli'n sydyn mai dim ond ei droi o y ffordd iawn sydd isio ac mae o'n ffitio'r bwlch yn berffaith.

'Diolch, Eryl.' Doeddwn i erioed wedi sylweddoli pa mor debyg i Taid Arwelfa oedd o, yn enwedig o gwmpas ei lygaid.

'Am be?'

'Am fod yn gefn i mi.'

Gwenodd Eryl fel bydd Taid yn ei wneud. Hefo'i lygaid. Dwi'n credu ei fod yntau wedi sylweddoli lot o betha pnawn 'ma. Wedi tyfu i fyny.

Agorodd rhywun ddrws y parlwr yn araf. Mam. Roedd ei hwyneb yn wyn ond mentrodd wenu'n ddyfrllyd arnon ni'n dau. Roedd hynny'n syndod ynddo'i hun a finna'n disgwyl llith. Eisteddodd yn y canol rhyngon ni a gafael amdanon ni'n dau.

'Lle aeth Dad?'

'Mae o wedi mynd allan am dipyn. Isio amser ar ei ben ei hun. Mae o wedi ypsetio heddiw rhwng popeth,' medda Mam yn raslon. Yn rhy raslon efallai. Wedi'r cyfan, roedd petha wedi bod yn anodd iddi hitha, yn doedden?

'Ydach chi'n iawn, Mam?'

'Ydw, sti. Ac mi ddaw ynta at 'i goed hefyd cyn bo hir, gei di weld. Ond Sara,' trodd ata' i'n sydyn, 'mae o'n daer ynglŷn ag un peth. Wn i ddim sut wyt ti'n mynd i dderbyn hyn ond . . .' Oedodd.

'Ia? Be?' Roedd gen i ofn yr hyn oedd ganddi i'w ddweud nesa.

'Dydi o ddim am i ti weld Gwilym Wynne byth eto. Mae o'n ddylanwad drwg arnat ti, medda fo. Heblaw amdano fo, fasat ti ddim yn yr helynt yma rŵan.'

Roedd hi'n disgwyl i mi feichio crio. Torri 'nghalon. Ac mae'n debyg mai dyna fyddwn i wedi'i wneud rai wythnosau'n ôl. Ond doedd pethau ddim wedi bod yn iawn ers sbel rhwng Gwil a fi. Doedd petha ddim yn berffaith yn y Steddfod. A doedd y ffaith fy mod inna wedi dechra ll'gadu Bardd y Gadair a rhygnu ymlaen am holl rinweddau hwnnw ddim wedi helpu chwaith, mae'n debyg. Dyna ddrwg Gwil erioed. Rhy groendenau. Ac mae 'na hen duedd annifyr ynddo fo weithia i fod yn genfigennus. A phlentynnaidd. Fel neithiwr, pan es i eistedd wrth ochor Taid. Felly, yn hytrach na dechra dyrnu clustogau a gorwedd ar fy mol ar lawr yn strancio a chrensian fy nannedd, teimlais don o ryddhad yn golchi drosta i. Doeddwn i ddim wedi bod isio brifo Gwil, ond mi wyddwn y byddai'n rhaid i mi ddweud wrtho fo, yn hwyr neu'n hwyrach, nad oedd petha'n gweithio rhyngon ni. Rŵan, nid fi fyddai'n gorffen hefo fo, naci? Dad oedd yn fy ngwahardd rhag ei weld o byth eto. Roedd hynny'n gwneud gwahaniaeth mawr, yn doedd? Ac yn gwneud petha'n haws i mi. Ond yn ogystal â rhyddhad, cefais bwl o euogrwydd hefyd. Wedi'r cyfan, cosb oedd hyn i fod. Mi wnes ymdrech i edrych fel be bawn wedi fy nhrechu'n llwyr. Doedd hynny ddim yn anodd ar ôl popeth oedd wedi digwydd.

Ddaeth Dad ddim yn ei ôl nes fy mod i ac Eryl yn ein gwlâu. Doedd arna i ddim awydd ei weld o heddiw p'run bynnag. Gobeithio bod Taid yn iawn. Rhaid i mi bicio yno ar ôl yr ysgol fory. Dweud wrtho fo am y Special Branch! Mi ga i ddweud wrtho fo rŵan am gyfarfod yr FWA heb boeni am Bleddyn Farfog yn dŵad i chwilio amdana i a 'nhrywanu i am ei fradychu o! Mi fydd yn rhaid i mi gael cyfle i siarad hefo Gwil hefyd. Mae hyn yn beth ofnadwy i'w ddweud, ac mae o'n edrych yn waeth fyth ar ôl i mi ei sgwennu o i lawr, ond y gwir ydi mai'r peth gwaethaf ynglŷn â gorffen hefo Gwil ydi'r ffaith na cha i ddim mynd i'r rali yng Nghilmeri ddydd Sadwrn nesa! Dyna'r gosb go iawn am bopeth sydd wedi digwydd.

Mehefin yr unfed ar hugain oedd hi ddoe. Y diwrnod hiraf. Ond doedd o'm hanner mor hir â heddiw. Heddiw oedd diwrnod hiraf fy mywyd i. O, ydi, mae heddiw wedi bod yn uffernol o hir!

Galw yn Arwelfa ar y ffordd adra o'r ysgol. Nain a Taid yn rhyfeddol o glên hefo'i gilydd. Roedd hi fel tasa ddoe ddim wedi bod! Mi ges i gyfla i siarad efo Taid ar ei ben ei hun pan oedd Nain wedi mynd i'r tŷ gwydr i hel tomatos.

'Ydi petha'n iawn ar ôl ddoe, Taid?'

'Ydyn, 'mechan i. Siort ora. Ma' dy nain a finna'n dallt ein gilydd, yli.' Winciodd arna i.

'Ma' Dad o'i go hefo fi,' medda fi.

'Hefo chdi? Pam, neno'r Tad? Fi fuo'n ei deud hi wrtho fo!'

Mi ddywedais i'r cwbwl wedyn. Hanes dynion *plain clothes* y Special Branch yn landio. Hanes Gwil a'r FWA a Bleddyn Farfog a finna'n cael fy nal yn ei chanol hi. Roedd hyd yn oed Taid yn gegrwth pan orffennais i fy stori.

'Ac ma' Dad yn dweud 'mod i'n tynnu ar eich hôl chi. Rêl dy daid. Dyna ddudodd o. Yn rwdlian hefo'r miri Welsh Nash 'ma. Chi a Gwil sy wedi stwffio rwtsh i 'mhen i. Dyna oedd o'n ddweud . . .'

Roeddwn i'n gallu teimlo fy llygaid yn llenwi wrth i mi ddweud hyn wrtho fo ond yn sydyn, ddirybudd, mi chwarddodd Taid yn harti dros y lle. Ymhen dim roeddwn i'n chwerthin hefo fo.

'Dwi ddim i fod i weld Gwil eto chwaith,' medda fi. 'Ac oherwydd hynny fedra i ddim mynd i'r rali yng Nghilmeri ddydd Sadwrn. Hefo Gwil oeddwn i'n mynd, ylwch. Ac mi fydd pawb yn fanno, yn byddan? Pobol fel Dafydd Iwan. A beirdd a ballu.' Er mai dim ond un bardd oedd gen i ar fy meddwl, ond es i ddim i fanylu.

'Hidia befo,' medda Taid. 'Paid â thorri dy galon.' Roedd o'n amlwg yn meddwl am Gwil a fi. 'Ma' 'na ddigon o bysgod yn y môr.'

Oes, Taid, digon gwir, meddyliais. Ac mae gan rai ohonyn nhw ll'gada glas.

'Sara, dos â'r tomatos 'ma adra i dy fam,' medda Nain o rywle ar draws bob dim. 'A dŵad wrthi bod gin i syrpreis iddi!'

'Syrpreis?' medda fi. 'Be ydi o?'

'Wel, taswn i'n deud wrthat ti, fasa fo ddim yn syrpreis, na fasa?' medda Nain. 'Ond gei di ddeud wrthi bod o'n rwbath i neud hefo'r Prins o' Wêls!'

Roeddwn i'n meddwl bod hwyliau da arni. Y prins! Be nesa? Ond yn lle sgrechian roedd yn rhaid i mi fygu gwên oherwydd bod Taid yn tynnu stumiau doniol tu ôl i'w chefn hi!

Roedd y lein yn wael. Twrw ar ben arall y ffôn fel tasa rhywun yn ffrio wyau.

'Fedra i'm dŵad hefo chdi ddydd Sadwrn, Gwil. Dim ar ôl miri dydd Sul.'

Meddyliais am Hércule Poirot a'i fêt yn landio yn y Mans. Chawson nhw fawr o groeso gan Mr Wynne, yn ôl Gwil.

'Sori,' medda fi. 'Doedd gen i'm dewis . . .'

'Paid â phoeni,' medda Gwil. Ond roedd tinc pell yn ei lais o. A doedd o'n ddim byd i'w wneud â'r ffôn chwaith.

'Bechod am Gilmeri hefyd,' medda fi wedyn. Roedd cadw'r sgwrs i fynd yn dipyn o straen.

'Gei di'r hanas i gyd gen i pan wela i di nesa,' medda fo. Pan wela i di nesa. Doedd gen i ddim calon i orffen hefo fo dros y ffôn. A beth bynnag, roedd arna i isio hanes y rali'n gynta, yn doeddwn?

Rhywsut, doeddwn i ddim yn meddwl y byddai Gwil mor ddigalon â hynny chwaith pan fyddwn i'n torri'r newydd fod Carwriaeth Fawr y Ganrif ar ben!

Dydd Sadwrn, Mehefin 28

Mae 'na rali yng Nghilmeri i wrthwynebu'r Arwisgo. A dydw i ddim yno! 'Wylit, wylit, Lywelyn . . .'

Dydd Sul, Mehefin 29

Roedd hi'n boeth tu allan ond yn oer ym mharlwr cefn y Mans. Ogla rhosod yn dod i mewn drwy'r ffenest agored. Sŵn gwenyn. Yr haul yn ei blethu'i hun yn hy' drwy'r tyllau yn y lliain bwrdd lês.

'Ma' Mam yn gofyn os ti isio panad.'

'Na, dim diolch.' Y distawrwydd rhyngon ni wedyn yn dew, yn magu croen y basech chi wedi gallu'i godi hefo llwy.

'Aeth petha'n dda ddoe ta?'

'Do, gwych. Siwrnai hir yn y bws o Fangor, wrth gwrs. Mi oedd 'na fws yn mynd o'r Bala hefyd. Mi aeth rhai o'r hogia i lawr ar hwnnw.'

'Oedd yna lot yno?'

'Ew, oedd. Roedd yna fysys o Rydaman a Phontypridd a phobman.'

'A llwythi o bobol enwog, mae'n siŵr,' medda fi'n chwilfrydig.

'Wel, mi oedd Dafydd Iwan yno,' medda Gwil gan daflu edrychiad hir i 'nghyfeiriad i. Roedd o'n gwybod yn iawn, yn doedd, y byddwn i wedi bod wrth fy modd yn gweld hwnnw. 'A ti wedi clywed am J. R. Jones, yn dwyt? Yr athronydd. Gelyn mawr Prydeindod,' ychwanegodd yn wybodus.

'Ydw, dwi wedi clywed Taid yn sôn amdano fo,' medda finna'n wylaidd.

'Roedd o'n rhy wael i fod yno,' medda Gwil, 'felly mi anfonodd neges ar dâp.'

'Argol, do? Chwarae teg iddo fo, te . . ?'

Aeth Gwil yn ei flaen.

'Roedd D. Jacob Davies yno – dwyt ti'm wedi clywed amdano fo, mae'n debyg . . .'

'Mae Taid yn dweud ei fod o'n un ffraeth ryfeddol,' medda finna, yn dechra cymryd ata rhyw fymryn wrth i Gwil fy nhrin i fel merch fach dwp.

'Mae gan Dad feddwl mawr o D. Jacob Davies,' medda Gwil wedyn, fel taswn i heb ddweud gair. 'Gweinidog efo'r Undodiaid yn Alltyblaca ydi o . . .'

'Yn ochra Llanybydder ma' fanno,' medda finna, er mwyn dangos nad oeddwn i'n hollol ddwl.

'Be?'

'Alltyblaca. Yng Ngheredigion mae o.'

118

'Ia. Wel, beth bynnag, tasat ti wedi'i glywed o, Sara – mi oedd o'n ddoniol. Mi ddudodd o fel hyn: (a dyma Gwil yn trio dynwared yr acen yn boenus o aflwyddiannus) "Wy am gychwyn yn y ffordd arferol trwy weud taw crwtyn bach ffein yw e." A dyma fo'n aros am eiliad cyn dweud wedyn: "Wy'n cyfeirio wrth gwrs at Dafydd Iwan!" A dyma bawb yn dechra chwerthin, o achos mai gwneud hwyl am ben y prins oedd o, ti'n gweld?'

Gwil, does dim rhaid i ti egluro pob jôc. Dwi *yn* dallt!

'O. Oedd 'na feirdd a llenorion yno hefyd?'

'Mi oedd D. J. Williams yno,' medda Gwil. 'A Waldo. Mi ososdd Waldo dorch o flodau ar y maen.'

'Mi faswn i wedi hoffi gweld hynny,' medda finna.

'O, mi oedd dy fêt di yno hefyd,' medda Gwil yn slei. 'Yr un ti'n ei ffansïo!'

'Pwy?' medda finna'n amddiffynnol, yn teimlo dau ddotyn bach poeth yn ffurfio ar ganol pob boch.

'Wel, hwnna ddaru ennill y Gadair yn Aber, te? Gerallt Lloyd Owen. Ti'm 'di stopio sôn amdano fo ers pan gododd o ar ei draed y diwrnod hwnnw!'

Roedd hi'n amlwg fod cenfigen yn mygu Gwil, yn bennaf oll am na fu sôn o gwbl am ei gerddi o yn y gystadleuaeth. Felly, yn lle tynnu'i ll'gada fo fel baswn i wedi hoffi ei wneud, dyma fi'n dweud yn ddigynnwrf, yn null Taid Arwelfa:

'Ia, dyna i chdi fardd ifanc rhyfeddol, yli, Gwil. Rhyw

ddiwrnod mi fydd o mor enwog fydd dim rhaid dweud Lloyd Owen. Dim ond Gerallt. Felly fydd pobol Cymru'n ei nabod o. Fath â chdi'n dweud Waldo gynnau. Dydi beirdd mawr ddim angen cyfenwau.'

Mi roddodd hynny gaead ar ei biser o.

'Mae'n rhaid i mi fynd, Gwil,' medda fi. 'Gwaith cartra i'r Ap.'

'Wn i ddim pryd fydda i adra nesa, Sara . . .'

'Gwranda, Gwil . . .'

Roedd hi'n amlwg ein bod ni'n dau ar yr un trywydd. Yn chwilio am ffordd allan. Penderfynais ddweud wrtho fo ar ei ben.

'Cha i mo dy weld di eto, Gwil. Sori. Ar ôl y miri i gyd. Dad sy'n dweud . . .'

'Dwi'n dallt, sti . . .' Doeddwn i ddim wedi disgwyl iddo fo ddallt cweit mor handi chwaith! Ond dyna fo. Roedd hi'n well felly hefyd, yn doedd?

'Hwyl i ti, ta . . .'

Ddaru ni ddim hyd yn oed cyffwrdd. Dim cusan. Dim. Roedd yr haul yn gynnes ar fy ngwegil i wrth i mi gerdded o'r Mans. Haul Mehefin. Haul I. D. Hooson yn 'Y Pabi Coch'. Newidiais gyfeiriad yn sydyn a galw yn Arwelfa am banad cyn mynd adra.

'Dim iws gofyn i ti a wyt ti am ddŵad i Gaernarfon hefo fi a dy nain fory debyg?' medda Mam. Roedd o'n fwy o ddatganiad nag o gwestiwn, wrth gwrs, oherwydd fe wyddai'n iawn beth fyddai'r ateb.

'I be ma' Nain isio i chi fynd yr holl ffordd i Gaernarfon?' medda fi'n biwis. 'Roeddwn i'n meddwl mai holl bwynt y teli newydd oedd iddi gael gweld yr Arwisgo?'

'Wel, ar y teledu fydda i'n ei wylio fo, beth bynnag,' medda Eryl.

'Rhag dy gywilydd di,' medda fi. 'Mynd i Arwelfa i wylio teledu Nain. Wel, fydd 'na neb adra i ti gael dallt. Fydd Taid ddim yno. . .'

'Dwi'm yn mynd i Arwelfa,' medda Eryl. 'Dwi'n mynd i dŷ Griff. Mi fydd 'na hufen iâ a jeli yno!'

'Dydyn nhw erioed yn cael parti!' medda fi mewn anghrediniaeth lwyr. Mi wyddwn nad oedd gan fam Griff ddaliadau gwleidyddol ofnadwy o gryf, ond feddyliais i ddim am funud y byddai teulu Bryn Helyg yn dathlu'r Arwisgo hefo hetiau papur a jeli!

'Brawd bach Griff sy'n cael ei ben-blwydd, te, yr iâr wirion!' medda Eryl dan dynnu stumiau arna i. 'Ma' Griff a fi wedi gaddo trefnu gêm bêl-droed pump-bobochor i'r hogia bach. Mi fydd ei nain o yno hefyd, felly mae'n debyg y bydd y teledu ymlaen yn y gornel ar ei chyfer hi, yn bydd?' Winciodd ar Mam. 'Sara'n meddwl 'mod inna wedi troi'n roialist fath â chi a Nain!'

Ei anwybyddu o wnaeth Mam a dweud:

'Lle fydd ych taid fory, ta?'

'Be?'

'Be wn i?' medda Eryl. 'Sara ddudodd na fasa fo'm adra.'

'Sara?' medda Mam yn ddigon amheus. 'Lle ddudodd o 'i fod o'n mynd?'

'Lle ma'r *ddau ohonon ni*'n mynd, dach chi'n feddwl,' medda finna'n awgrymog.

'Ella'u bod nhw'n mynd i chwifio'r ddraig goch o ben Tŵr Marcwis!' medda Eryl yn pefrio o ddireidi.

'Gwylia di nad wyt ti'n gwneud mwy o sôn amdanat dy hun hefo'r miri protestio 'ma eto, Sara!' medda Mam yn fygythiol. 'Dwi'n dy rybuddio di. A dydi dy daid yn callio dim, chwaith. Mae o'n mynd yn wirionach, os rwbath, wrth fynd yn hŷn!'

'Os oes raid i chi gael gwybod, mynd am dro i lan y môr ydan ni,' medda finna'n ddiniwed. 'Ella'r awn ni â phicnic bach hefo ni. Be amdanoch chi a Nain? Ewch chi â sandwijis hefo chi ta be?'

Trio bod yn goeglyd oeddwn i, ond mi lithrodd y sylw

dros ben Mam ac i'r swigod golchi llestri yn y sinc o'i blaen hi.

'Picnic wir! O, na. Mi fyddan ni'n cael dipyn mwy o steil na hynny, dalltwch! Dydi Mrs Jones Post a'i thebyg ddim yn gorfod stryffaglu i gario fflasgiau a thuniau bwyd i lefydd 'fath â nafis!'

O achos mai dyna oedd y 'syrpreis' y bu Nain yn sôn mor frwd amdano fo. Mae hi a Mam wedi cael gwahoddiad i fynd hefo Mrs Jones Post i Gaernarfon mewn car mawr crand i weld yr Arwisgo. Ac nid i sefyll ar ochor y stryd yn chwifio baner hefo coman-jacs, chwadal Nain. O, naci! Achos mae brawd Mrs Jones Post yn Fanijar Banc yng Nghaernarfon. Ac nid unrhyw fanc chwaith, ond Banc y Midland reit ar y Maes. Ac maen nhw am gael mynd i fyny'r grisiau i'r stafell ffrynt lle byddan nhw'n cael gweld y sioe i gyd.

'Mi fydd fel cael ein Roial Bocs ni'n hunain!' Dyna oedd Mrs Jones wedi'i ddweud wrth Nain. Mae 'na rywbeth reit frenhinol ynglŷn â honno hefyd, erbyn meddwl. Dyna mae oes o addoli'r Cwîn yn ei wneud i rywun, ma' siŵr. Mi fydda i'n syllu arni'n aml yn y capel, llond sêt o ddynas mewn côt Astrakhan a het hefo fêl. Dynas o sylwedd ac ogla mothbols.

'Mi fydd Arthur 'y mrawd wedi gofalu bydd yna *finger buffet* bach i ni, lêdis. Dipyn o *light refreshments* felly, yntê?' Roedd Nain wedi cael hwyl garw yn ei dynwared hi o flaen Mam a finna.

Pan ddechreuais i wneud wyneb anghymeradwyol yn ystod hynny i gyd mi sibrydodd Taid yn fy nghlust i:

'Duw, gad lonydd iddyn nhw. Dydyn nhw'n gneud dim drwg. Ac mi wnân nhw joio. Mi wnawn ni'n dau ein sbort ein hunain, weldi.'

Felly dwi'n trio ymarfer graslonrwydd a mawrfrydig-rwydd, fath â Taid Arwelfa. Pawb at y peth y bo. Glan y môr ydi'n peth ni. Ond nid unrhyw lan môr chwaith.

Dwi'n edrych ymlaen at fory.

Gorffennaf 1af

'Lle ma' dy fam?'

'Chwalu o gwmpas yng ngwaelod y wardrob yn chwilio am het,' medda fi. Mi fu bron i mi ychwanegu: 'Het o ddiawl!' Ond cofiais fod bywyd yn haws i bobol fawrfrydig a bod petha'n dal yn fregus rhwng Dad a fi.

'Ti ddim wedi clywed y newyddion ar y radio bore 'ma, ta?'

'Naddo. Pam?'

'Dau hogyn ifanc wedi'u lladd yn oria mân y bore.

William Alwyn Jones a George Francis Taylor.' Rêl plismon. Cofio enwau llawn pobol.

'Pwy oeddan nhw felly?'

'Wel, mi faswn i'n disgwyl y basat ti o bawb fel un â chysylltiadau hefo *extremists* [saib er mwyn i'r gair gymryd effaith] yn gwbod am fodolaeth MAC – Mudiad Amddiffyn Cymru. Aelodau o hwnnw oeddan nhw.'

Roeddwn i'n benderfynol o beidio cymryd yr abwyd. Doeddwn i ddim isio ffraeo. Yn enwedig heddiw.

'Be ddigwyddodd?'

'Be ddigwyddodd? Be ddigwyddodd? Mi dduda i wrthat ti be ddigwyddodd!'

Peth plisman ydi hynna hefyd. Ailadrodd bob dim. 'Trio gosod bom oeddan nhw! Bom ar y lein yn Abergele. Isio chwythu'r Roial Trên. Ond mi fethon nhw, yn do? Chwythu'u hunain yn racs jibidêrs. Dyna ddaru nhw! Wedyn gad i hynna fod yn wers i ti, 'ngenath i!' Plannodd ei lwy o'r golwg yn ei wy wedi'i ferwi.

Wnes i ddim trafferthu i egluro'r gwahaniaeth rhwng Mudiad Amddiffyn Cymru a Chymdeithas yr Iaith, dim ond dweud na fyddai gen i mo'r syniad lleia sut i ddechra gwneud bom. Mae'n debyg nad oedd hynny'n beth doeth i'w ddweud chwaith, erbyn meddwl. Diflannodd y llwy trwy'r plisgyn. Achubodd Mam fi drwy ymddangos yn y drws â rhywbeth tebyg i feráng hefo pluen ynddi hi am ei phen.

'Neith hon, dwch?'

'Dwi'n mynd,' medda fi.

'I lle?' medda Dad.

'I brynu boild ham i'w roi ar frechdana Taid a fi.'

'Fydd 'na le'm byd ar agor heddiw, siŵr iawn. Siopa wedi cau i gyd a hitha'n holide i bawb oherwydd yr Arwisgo!' medda Mam.

'Nid i bawb,' medda Dad yn swta. 'Rhai ohonan ni'n gorfod gweithio – fel arfar!'

Er mawr ryddhad i mi cododd oddi wrth y bwrdd a pharatoi i fynd. Chafodd o fawr o hwyl ar sythu'i dei o achos bod Mam a'i phluen wedi meddiannu'r drych.

'Dach chi'n meddwl y bydd gin Nain dun samon?'

'Dau neu dri, ma' siŵr, o nabod dy nain. Be 'di'r brys, beth bynnag? Dach chi ddim yn cychwyn am oria.'

'Isio paratoi petha. Gwneud yn siŵr bod gynnon ni ddigon o fwyd. Awyr y môr yn agor stumoga pobol.'

'Wel, mi fydd raid i ti glirio'r bwrdd yn fan'ma gynta cyn i ti ddianc i unlle,' medda Mam. 'Mae yma ormod i'w wneud a ninna i gyd yn mynd allan heddiw!'

Ac felly y bu hi. Mam a fi'n cyrraedd Arwelfa hefo'n gilydd tua hanner dydd.

'Dy fam yn methu'n glir â phenderfynu rhwng dwy het,' medda Taid wrth Mam pan gyrhaeddon ni. Diflannodd Mam i fyny i'r llofft a rhoddodd Taid winc arna i.

126

'Mi gawn ni 'madael â nhw i gyd yn y munud!'

'Be am y picnic, Taid?'

'Dy nain wedi gofalu,' medda Taid yn siriol. 'Ma' 'na fwy o duniau samon yn y cypyrddau 'ma nag sy 'na yn siop E. B. Jôs!'

Yn fuan wedyn roedd yna swn canu corn tu allan a dyna lle'r oedd car mawr du Mrs Jones Post yn sgleinio fel chwilen.

'Tasa 'na fflag ar flaen y car mi fasat ti'n meddwl mai hi oedd y Cwîn ei hun!' medda Taid dan ei wynt.

Ein tro ni oedd nôl y car wedyn. Nôl car bach Arwelfa rownd o'r cefn. Ogla lledr a phetrol a'r injan fach yn suo fel gwenynen brysur.

'Pam ddaru chi ddewis Berffro, Taid?'

'Wel, does dim rhaid i mi ddweud wrtha ti, o bawb, debyg, mai Aberffraw oedd safle prif lys Llywelyn Fawr!' medda Taid. 'Dyna'i deitl o: Tywysog Aberffraw ac Arglwydd Eryri. Ac roedd Llywelyn Fawr yn daid i Lywelyn ap Gruffudd, yn doedd? Llywelyn Ein Llyw Olaf.'

'Gwir Dywysog Cymru!'

'Ac mi wyddost be ddigwyddodd i hwnnw?'

'Cael ei ladd gan filwyr Edward y Cyntaf yng Nghilmeri.'

'Cywir,' medda Taid. 'Ond gan fod Cilmeri braidd yn bell i ni yn yr hen gar bach 'ma, mi feddyliais i y basa

127

Traeth Mawr Berffro cystal lle ag unman i ni fynd ar ddiwrnod fel heddiw.'

Doedd yna ddim haul. Yn hytrach, roedd yr awyr yn wlyb fel wyneb a fu'n wylo. Rhoddais fy llaw trwy fraich Taid wrth i ni groesi'r traeth. Disgynnodd dafnau bach o law smwc a chymysgu hefo'r heli. Doedd y tywydd ddim yn ein poeni ni. A dweud y gwir, roedd hi'n briodol iawn wrth i ni edrych dros y dŵr fod tref Caernarfon ar goll o dan gwmwl.

'Cael ei ddefnyddio mae yntau hefyd, 'ddyliwn,' medda Taid ymhen dipyn.

'Pwy?'

'Yr hogyn bach 'na yn fan'cw pnawn 'ma. Y prins.' Craffodd Taid i gyfeiriad y cwmwl glaw. 'Meddylia braf fasa hi tasa hwnna'n dŵad yn ei ôl rhyw ddiwrnod i agor ein senedd ni yma yng Nghymru!'

'Mewn byd o hud a lledrith, ia, Taid?' medda finna'n bryfoclyd. 'Dwi'n gwybod mai yma y cynhaliwyd gwledd briodas Branwen a Matholwch, ond mi ydach chi ym myd chwedlau go iawn rŵan!'

'Mae petha rhyfeddach wedi digwydd,' medda Taid, a thynhau'i afael yn fy mraich i. 'Tyrd. Awn ni'n ôl am y car. Un o frechdana dy nain fasa'n dda!'

CAERNARVON ASSOCIATED NEWSPAPERS

· SOUVENIR ·
SUPPLEMENT
INVESTITURE OF THE PRINCE OF WALES
CAERNARVON CASTLE JULY 1'69

Presented free with every issue of the Caernarvon & Denbigh Herald, the Holyhead & Anglesey Mail, Yr Herald Cymraeg and Herald Môn, Friday July 11, Monday July 14, and Tuesday July 15, 1969.

Trwy ganiatâd Gwasanaeth Archifau Gwynedd

Yn ymyl yr Wybrnant, cartref yr Esgob William Morgan, y cynhaliwyd y rali. Mi fasun i wedi hoffi bod yno.

Dafydd Iwan yn cael trafferth deall yr enwau Saesneg.

Llun o *Dafydd Iwan: Bywyd mewn lluniau*

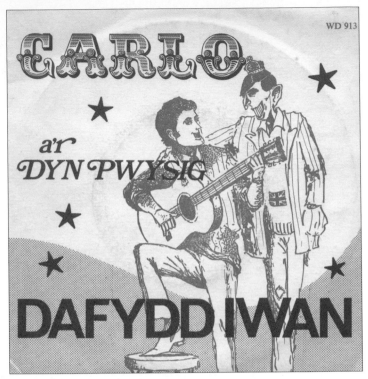

WD 913

CARLO

a'r
DYN PWYSIG

DAFYDD IWAN

O'r cefn:

CARLO. Cyflwynaf y ganig fechan ddiniwed hon i bob taeog sy'n ymwneud mewn unrhyw fodd â ffwlbri'r arwisgo a 'Chroeso 69'; a phob lwc ichi! Hefyd, wrth gwrs, cyflwynaf hi i Garlo, Gwaredwr y werin, Ceidwad ein hiaith, Tarian ein diwylliant, Pencampwr ein cenedl, gyda chydymdeimlad diffuant am gael ohono'i hun yn y fath sefyllfa anffodus.

Ionawr 1969   Dafydd Iwan

Mi eisteddon ni . . . a gwrando ar y record roddodd Gwil ymlaen – Tony ac Aloma'n canu 'Mae Gen i Gariad'.

Mi oedd 'na lun o Mary Hopkin ynddo fo hefyd!

Trwy ganiatâd Cadbury Trebor Bassett

'*Ew, da, te?*' *medda Nain. '*Y dyn Milk Tray '*na.*'
'*Faint callach dach chi o gael teledu lliw dim ond i weld dyn mewn dillad duon, dwch?*'

Trwy ganiatâd NASA

Y teledu wedi bod ymlaen drwy'r dydd. Nain â diddordeb mawr yn nychweliad Apollo 9 o'r lleuad.

Llun © Sefydliad Nobel

Clywed ar y newyddion fod James Earl Ray wedi pledio'n euog o lofruddio Martin Luther King yn Memphis, Tenessee.

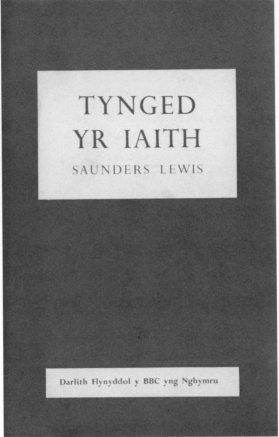

Trwy ganiatâd Llyfrgell Genedlaethol Cymru

Llyfryn bach tenau ydi o, a chlawr papur gwyrdd amdano fo . . . Darlith radio a gyhoeddwyd saith mlynedd yn ôl yn 1962 o'r enw 'Tynged yr Iaith' gan Saunders Lewis.

'Darllen o'n ofalus,' meddai Taid â winc gynllwyngar arna i. 'Mi helpith i ti ddallt petha, yli. Ond faswn i ddim yn ei ddangos o i bawb, yntê.'

Welais i erioed gymaint o bobol. Roedd y cei dan ei sang. Cannoedd o brotestwyr a baneri ac arwyddion wedi eu dal yn uchel. Roedd yr awyrgylch yn drydanol.

Gwrthdaro bywyd y bardd gwladgarol

ENILLODD golygydd, bardd ac athro gadair Eisteddfod yr Urdd, Aberystwyth, eleni. Mae Geraint Lloyd Owen yn olygydd 'Yr Hebog', comic i blant, bardd a enillodd dair cadair ar hwyfan yr Urdd, ac athro mewn ysgol llwyddo'n rhyfeddol, Ysgol Glyndwr, Pen y Bont ar Ogwr, a sefydlwyd fel ysgol breifat Gymraeg flwyddyn yn ôl.

Dyma dri pheth sy'n gwrthdaro ym mywyd . . . bywyd y bardd?

Barddoni a rydych yn hapusaf ...? 'Mae gan y ffermwyr ar gweithwyr ffatri, wedi ...

ANGHOFIO

Wrth ddysgu mae'n rhaid meddwl yn nhermau plant. Gydar 'Hebog' nid yw hynny ond garfod o 'rwyd' athro dechrau awr ar hugain y dydd.

'Bydd yn cymryd dwrnodau imi ddod allan o fyd y plentyn ...

yr awen ar ei chrefyd a Radio Caroline yn mynd drwy'r dydd.

'Erbyn y diwedd roeddwn wedi anghofio fy meddwl, yn sgwâr bron. Bryd hynny mi oedd gwrthdaro. Rheidrwydd ar y gymdeithas ar ysgwyddau. Doynodd fach 'Yr Hebog' yn ogystal.

Petai ddim ond petai rhywun wedi yn fodlon gwneud busnes'n well heb anfodlonder yr amgylchiadau.

Mae'n bwysicach iddo ar y funud oherwydd fod angen peth o'r fath ar Gymru heddiw.

Ond sut y daeth Geraint Lloyd Owen i hawlio sylw cyn oedd Sadwrn yr Eisteddfod. Curwyd ei gefn gan y beirniad T. Llew Jones, mewn geiriau diolch-wir. 'Nid oes neiniau o'r fwy o deisympdau' oedd ei eiriau.

'Petaai'r ddim yn torffi wejant pethau eraill, a wnes yn rownd Geralt 'Dydio ddim help yn bai am y feirniadaeth'.

TRO CYNTAF

Yn wir hon oedd y tro cyntaf i'r ddau ei hun enillodd yr Eisteddfod Caerdydd bedair blynedd yn ôl. Yno enillad ni ail gadair yn Eisteddfod Urdd dair blynedd wedi iddo ennill y gystal iddo Eisteddfod Rhuthun pan oedd 17 oed, wedi Eleni gafodd bigo ei destun. Ni all ganu ar bob un.

'Gyda "Cymru Heddiw" roedd rofte imi gael dweud pethau oedd yn fy nghalon i ers blynyddoedd', meddai. 'Ond i byddai'n sylon hafddoniaeth yr Eisteddfod 'na, gael pe bair "cadair y dorf" i'w hennill. Mae rhai yn cystadlu yn y Genedlaethol heb fwydyn meddai, a'i rheitny heb ddweud eu testun. Byddai'n amlwg eu baeni yn aros ac yn canu i byn y gallent ganu'n ddu arno.

'Dydwi ddim, yn credu hynny o gwbl', meddai. 'Petawi yn ennill yn betawi ugain oed a hynny yn berffaith yn berffaith fodlor, yscwrangfe'.

Yn bedair ar hugain oed canodd yn wladgarol. Ir Cymru sydd ohoni. Ni ddigwyddo laethaidda drwy ddrewed y dawn haf cyn bo hir. Montreddi i'r nerth ohaini fel canu Saunders, a Gwenallt, Parry i Saunders Lewis — ei gwr sydd ar y sorwel', eb aberr orall.

GWIRIONEDD

'Heddiw rydym yn dechrau sylweddoli gwirionedd y pethau ddywedodd Saunders Lewis', meddai. 'Rydym yn dechrau deall bod nawr wedi anwybyddu a gwrthododd dysgasawod dysgu dolfraw o . . .

Saunders Lewis drwy arall eirio ei eiriau. 'Ni allwn ni ennill senedd, Ni ddaw byth heb newydd fedd'.

'Mae'n gefnod lwcus iawn ac yn ysgrifenu yn gyntod bogon yr Geira', meddai. Byddai wedi cael cerddi hyn rywbryd gan fod y llinellau wedi tyfu yn ei feddwl — ac amser cymryd rhwybrddiaeth genedlaethol yn dowfn ynddo a chyffro newydd yng Nghymru medraidd ganu i'r Gwanwyn.

Gwaeth Eisteddfod Aberystwyth h'rn boabli iddo ddwyn ei stlmalau i'r amlwg. Y gân y caf ei awel wedi'r dietthr wrws, A'n hanial genedi sy'n aill eginio'.

Fyddai Geraint Lloyd Owen o'r un farn eu bai wedi aros yn y Sarnau, et fro enedlhod prin. Metron: Dizon prin. Esdwyddiff.

'Mae Meirionnydd yng nghanol Cymreictod, ond yn Mhen-y-llont ar Ogwr mae hi'n agosiad iaith. Yno mae hi'n agosiad llygaid i'r frwydr fawr sydd i ddd . . . '

'... os gwelir y llanast y cwae ddwyiluant yn medra a ac am leddwyd oneiddiau poblr, meddai. Ac rhaid eud dweud fod yn pethau y teimlai fod yn Gymru sydd ohoni yn y pegwn i barddoni bydd yn oani wedi i'r frwydr genedlaethol gael ei hennill. Cymru yn rhydd byddwn yn canolbwyntio ar agweddau eraill ohoni fel ei prydferthwch', meddai.

'Mae'r cerddi 'ma'n wefreiddiol,' medda tad Gwil. 'Mae'r bogyn 'ma wedi teimlo i'r byw . . . Dylid gorfodi pob Cymro i ddarllen rhain ac i chwilio'i gydwybod wedyn!'

'Codi cywilydd arnyn nhw'u hunain ac ar bawb arall!'

Cilmeri. Lle lladdwyd Llywelyn Ein Llyw Olaf. Lle'r oedd y garreg goffa enwog.

Llun Aled Hughes

Trwy ganiatâd Ray Daniel a Llyfrgell Genedlaethol Cymru

Dafydd Iwan a D. J. Williams yn gwylio Waldo Williams mewn cyfarfod coffa yng Nghilmeri.

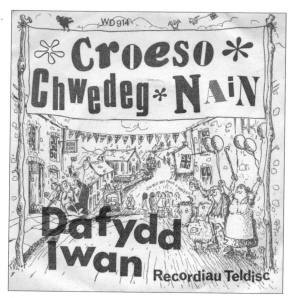

O'r cefn:

Fe â 1969 i lawr mewn hanes fel y flwyddyn y cafodd nifer o bobl Cymru eu twyllo. Eu twyllo fod popeth yn iawn, a bod dyfodol y genedl a'r iaith Gymraeg yn berffaith ddiogel yn nwylo Llywodraeth Llundain a'r Goron Seisnig. Nid yn unig y cawsant eu twyllo, ond bu raid iddynt ddathlu'r achlysur – am dri mis! A'r enw a roddwyd ar y dathliadau oedd 'Croeso 69'.

Ond chawson ni i gyd mo'n twyllo, diolch byth. I lawer ohonom, yn arbennig yr ifanc, tipyn o jôc – jôc ddrud a chreulon mae'n wir – ond jôc er hynny – oedd 'Croeso 69'. Cafodd popeth, o Garnifal i Gymanfa, ei lusgo i mewn i'r gyfeddach, a chafodd Cymry'r dyfodol botyn pridd lluniaidd a defnyddiol er cof am y cyfan. Roedd y demtasiwn o lunio cân am hyn oll yn ormod imi.

Ionawr 1969   Dafydd Iwan

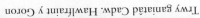
Trwy ganiatâd Cadw. Hawlfraint y Goron

Seremoni arwisgo Siarl yn dywysog Cymru yng nghastell Caernarfon, Gorffennaf 1af 1969.

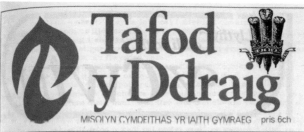

Tafod y Ddraig

MISOLYN CYMDEITHAS YR IAITH GYMRAEG   pris 6ch

Rhifyn CARLO '69!!! (Mehefin, y Mis cyn y Dydd)   Rhif 22!!

WYLIT, WYLIT, LYWELYN,
WYLIT WAED PE GWELIT HYN.

G.Ll.O.

GWLeDD   o bethau tu mewn
                    i DDATHLU'r DYDD!

Tafod Tecnirama,
                    y Swfenir Perffaith!

Trwy ganiatâd Llyfrgell Genedlaethol Cymru a Cymdeithas yr Iaith

Nodyn gan yr awdur

Diolch o galon i Dafydd Iwan am gael benthyg y crynoddisg o Noson Lawen Eisteddfod yr Urdd Aberystwyth 1969, i Jeni Lyn Morris am gael benthyg ei chasgliad o *Barn*, ac yn bennaf oll i Gerallt Lloyd Owen am ei gymorth a'i gyngor gwerthfawr wrth i mi ysgrifennu'r nofel hon.

Ffynonellau

Wyt Ti'n Cofio? – Gwilym Tudur (Y Lolfa)
Dafydd Iwan – Cyfres y Cewri (Gwasg Gwynedd)
Tynged yr Iaith – Saunders Lewis
Caniadau – T. Gwynn Jones (Hughes a'i Fab)
Cerddi Gwenallt: Y Casgliad Cyflawn gol. Christine James (Gomer)
Y Gwin a Cherddi Eraill – I. D. Hooson (Gwasg Gee)
Cerddi'r Cywilydd – Gerallt Lloyd Owen (Gwasg Gwynedd)
Dafydd Iwan: Bywyd mewn lluniau – gol. Llion Iwan (Gomer)
Barn – 1969